こんなに違うよ！ 日本人・韓国人・中国人

造事務所 編著

PHP文庫

○本表紙図柄＝ロゼッタ・ストーン（大英博物館蔵）
○本表紙デザイン＋紋章＝上田晃郷

なるほど 国民性ファイル

同じ東アジアに住み、似たような顔をしていても、気質は国ごとに異なる。まずはそれぞれの国民の特徴をザックリ見てみよう！

日本人の特徴

礼儀を重んじる一方、あまり断言せず、慎み深いのが美徳だと考える。自分の意見をいうより、周囲に合わせるのが基本。

男

空気を読むのが第一優先
断言しすぎない話しかた
メタボには気を使っている
目立つことを恥ずかしがる
「草食系」で奥手な人が増加中

ライフスタイル

- 公の場では謙虚にふるまう
- お金の勘定は正確にする
- 親子のあいだも個人主義
- ハッキリ分類されるのを嫌う

結論

良いえば「思慮深い」
悪くいえば「優柔不断」
それが、日本人

女

競争より
仲良しが大事
お化粧は
近年ナチュ
ラル志向
男よりも
グルメ
嗜好《しこう》
財布のヒモ
はしっかり
確保
セックスレ
スで不満を
もつ妻も

ライフスタイル

- 友だちは多いほうがいい
- おとなでもカワイイのが好き
- 友だちみたいな親子仲が理想
- 清潔さには気を使う

韓国人の特徴

自己主張が強く、競争社会ながらも親子兄弟の縁や義理人情にはわりと弱い。それは、日本人に失われた気質かもしれない。

男
最新ＩＴには
強いぜ
ふだんから
声が大きい
高カロリーな
食事を好む
兵役が
ちょっと
悩みのタネ
たまには
女遊びも
したい？

ライフスタイル

- 無理をしても見栄を張る
- 親しい相手には気軽にオゴる
- 人と競争するのが大好き
- 目上の人は大事にする

女

即断即決が
ポリシー
化粧や
見栄えに
気を使う
仲良しは
手をつない
で歩く
こっそり
不倫願望も

ライフスタイル

- 台所は男子禁制の世界よ
- 子どもができたら全力で教育
- 奥さんどうしの付き合いは大事
- 家庭思いの男性が理想

結論

良くいえば「情にあつい」
悪くいえば「おせっかい」

それが、韓国人

中国人の特徴

体面を重んじ、内と外の区別にはきびしい。これは簡潔な中国語と、寒暖のハッキリした気候も少なからず影響している。

男

メンツを大事にする
ハッキリものをいう
酒もタバコも大好き
なかなかお嫁さんが見つからない
ひとりっ子だからワガママ

ライフスタイル

- 認めた相手には礼をつくす
- ルールは自分で決める
- 命も財産も自力で守るべし！
- 外見よりおとなに見られたい

女

男相手でも
物怖じ
しない
お化粧は
アッサリ
家事はお手
伝いさんが
結婚する
なら有能
な男
サババサバ
現実主義

ライフスタイル

- 買い物にはこだわりがある
- 職場では男と対等に働く
- クールビューティーが理想
- ひとりっ子を大事に育てる

結論

≫

良くいえば「キッパリ型」
悪くいえば「遠慮がない」

それが、中国人

こんなに違うよ! 日本人・韓国人・中国人 目次

データ09 金

日本・韓国・中国のお金・経済

02 所得格差
都市と農村の収入差が3倍以上⁉
中国の格差は、ついに危険域に突入……192
03 物価上昇率
長期デフレで物価すえおきが続く日本。
韓国は成長中の中国よりインフレ傾向……194
04 消費税
日本の消費税は低いと思いきや、
韓国は肉、野菜、魚には非課税。……196
05 クレジットカード
景気回復と引き換えに多重債務者が
続出した韓国。中国はこれから？……198
06 お年玉
額だけ見れば裕福そうな日本。
中国では、お年玉にも格差が……200
07 生命保険
これも社会主義の名残？
「生命保険は無用」と言いきる中国人……202
NORTH KOREA REPORT 09
北朝鮮のお金……204

データ10 教

日本・韓国・中国の教育

日本をしのぐ中国と韓国の教育熱……206
01 大学
モチを食べて志望校に貼りつく⁉
日本の大学は今や海外でも低評価？……210

データ12 政

政治

データ13 運

日本・韓国・中国の運輸・交通

文章　佐藤賢二
図・イラスト　原田弘和
本文デザイン　太田デザイン事務所
DTP　根本淳一
資料提供、協力　戸田郁子、穂積宇理

衣

データ01

日本・韓国・中国の

ファッション・美容

衣

ますます洗練されるアジア人のオシャレ

高級ブランド志向が落ち着き、お金をかけるよりセンスが問われるようになってきた日本のファッション。

●ナチュラルとケバケバが突出する日本

バブル期の日本では、シャネルやグッチのような海外高級ブランドがおおいに売れたが、近年は長く続く不況の影響もあって、高級ブランドは苦戦が続いている。逆に、ユニクロやしまむらのような「ファストファッション」と呼ばれるお手ごろ価格のブランドが台頭している状況だ。

日本で流行している服装といえば、アースカラーやエスニックな小物をまじえた、ユルくて自然派な雰囲気の「森ガール」スタイル。健康やエコロジーを唱えるロハスの流行や、着飾らないナチュラル志向が背景にあるようだ。

一方で、派手めなギャル系ファッションも元気だ。キャバクラ嬢向けのファッションをメインとした雑誌『小悪魔ageha』は、その発信源として大人気。地方でもよく売れている。方向性はばらばらだが、ただ高級ブランドをそのまま身につけるより、自分のライフスタイルを反映させて、お金をかけずにファッションを「工夫」することが広まっているようだ。

日本のファッション誌が人気の中国

日本とは対照的に、今まさにバブル期を迎えている中国では、オシャレには金に糸目をつけない人も増えている。

1970年代ぐらいまでの中国のファッションは、国のトップから労働者まで地味な人民服一色だったが、現在の都市部の服装のセンスは、まるで日本や欧米と変わらない。

じつは、中国のオシャレ好きには、日本のファッション誌を参考にしている人が多い。白人モデルの写真が載った欧米のファッション誌も売れているが、同じアジア人がモデルのメイクや服装のほうが参考になるようだ。

また、中国でもユニクロの店舗があちこちに増えている。さらに資生堂をはじめ、日本の化粧品・美容品メーカーも人気だ。

半世紀以上前に社会主義体制となってから、伝統文化は否定的に扱われてきたが、最近では歴史ドラマに出てくるような民族衣装の「漢服」も見直されてきているという。

このように、ファッションの多様化が進んでいる中国だが、国土も広く、所得格差も大きいだけに、オシャレの志向やお金のかけかたにもかなりばらつきがあるようだ。

美肌をきわめる！ 韓国のエステ

韓流アイドルを見ればわかるように、流行のファッションは日本と差はない。日本のブランドも韓国進出は今や当然だ。

また、伝統的な韓方医療の要素を取り入れた韓国のエステは、

衣

リーズナブルで効果もあると、韓国を訪れる日本女性から人気に火がつき、韓国の若い女性にも広まっている。

かつては、韓国のメイク・服装といえば、とにかく派手で「濃い」ものが好まれていた。女性はこってり厚化粧が多かった。今も、日本ならせいぜい茶髪だが、韓国では赤や青に染める人も少なくないという。

そんな韓国でも、現在はファッションは着飾らないナチュラル志向という人が多い。もっとも、日本と同じく、韓国では何かが流行すると、みんながそちらに流れるともいわれる。

たとえば、女性の髪型はストレートのロングヘアが多かったが、きのこ頭と呼ばれる前髪をそろえたおかっぱ風のスタイルが急に増えたこともあった。

つまり、もし韓国でふたたび派手なファッションや髪型、メークが流行すれば、また一気に派手路線が主流になるのかもしれない。それはそれでお国柄でもある。

ファッション・美容

01 ファッション支出

外見重視の韓国人がオシャレにいちばんお金をかけている？

東アジアでは韓国人がオシャレ好きNo・1

外食、旅行、自動車や家電の買い換え……毎月の消費支出にはいろいろある。そのなかで「ファッション・アクセサリー」を最優先するという人の比率は、日本で50％、中国で48％、韓国では57％だ。

とくに韓国人は、日本人や中国人よりもオシャレに敏感で、お金を使う傾向が強い。実際、外見を気にする人が多く、少々無理をしてでも見栄を張る国民性のようだ。新聞社と化粧品会社の調査で「美貌《びぼう》はすなわち競争力」と考える人が86％という、驚くべき結果が残されている。

とはいえ、すべての韓国人がファッションにお金をかけているわけではない。新入学した女子大生が入学式ファッションにかける金額は、10万～20万ウォン（約

7190〜1万4380円）がもっとも多く、次はその半分の5万〜10万ウォン。学生は意外に質素ということか。

自己流を重視する中国ファッション

ひところは、日本でも高級ブランドがちまたにあふれたが、最近はユニクロなどの「ファストファッション」が人気で、お金のかからないオシャレを楽しむ人も増えてきている。

中国人の洋服選びのポイントは、まず「自分に似合うこと」。次が「品質」と「価格」で、「ブランド」や「デザイン」の優先順位は低い。どうやらファッションにおいては、世間の評判よりも自分流を貫く、という人が多いようだ。

ちなみに、日、中、韓の三国とも、消費支出の第1位は、ファッションではなく「外食とその他の娯楽」である。当然といえばそれまでだが、やはり「色気より食い気」の人のほうが多いというわけだ。

ファッション支出を最優先する人の割合(2009年)

出典：MasterCard Worldwide調査

ファッション・美容

02 ユニクロ

すでに上海には14店舗が出店。「優衣庫」は中国でも絶好調！

中国でも人気の「優衣庫」

日本を飛び出し、世界のカジュアルウェアブランドの代表格となっているのが、ユニクロだ。国内の店舗数は約800店におよぶ。

ユニクロの経営母体であるファーストリテイリングと、中国の縁は古い。同社は、1986年から中国内の縫製工場への受注委託をはじめている。さらに、中国での初出店は2002年のことで、店舗数は09年の段階で香港を含めて44店、11年までに100店を出店する計画だ。もっとも、日本人にとっては安くて手軽なユニクロでも、中国ではまだちょっと敷居が高いらしい。

冬になると売り切れが続出する発熱保温肌着「ヒートテック」は、中国でも大人気商品となったが、1枚が80元（約1020円）する。農村部の1カ月の衣類支出は約212元だ。中国のユニクロの工場で働く労働者は、自分がつくった服でも、そうやすやすと買えないのである。

ちなみに、中国のユニクロの看板は赤地に白文字で「UNIQLO」と日本と同じだが、広告では「優衣庫《ヨウイーク》」と記される。言いえて妙である。

ソウルにもユニクロ大型店が出現

韓国でもユニクロは大人気である。韓国進出は05年で、最初はロッテグループと提携し、ロッテ百貨店の仁川《インチョン》店などに出店した。その後も順調に店舗数を伸ばし、07年には、ソウル最大のショッピング街となっている明洞《ミョンドン》に、地上4階、総床面積じつに700坪の大型店を出店。話題を呼んだ。店内の雰囲気は日本の店舗とまったく変わりない。

シャネルやヴィトンのような欧米高級ブランドはどの国でも人気だが、その一方で、日本発のユニクロも、東アジアの庶民ブランドとして広まることになりそうだ。

ユニクロの店舗数(2009年)

日本	中国	韓国
790	44	30

出典:JETRO調査ほか

ファッション・美容

03 偽ブランド

パチものがあふれる中国。需要があるから供給が生まれる

精巧なコピーから脱力モノまであふれる中国

首都北京市内はもちろん、あらゆる街で偽ブランド品にお目にかかれる中国。さまざまな商品のなかには、外見のすみずみまで本物そっくりにコピーされたものから、いっけんイタリアの有名ブランド「PRADA」のようで、じつはロゴが一文字ちがいの「PRADI」といった脱力モノまで、バリエーション（?）も豊富だ。

日本の特許庁がファッションブランドなど926社に対して行なった調査によると、日本で模造品の被害を受けた会社は約36％、韓国での被害は約15％、中国での被害は、なんと約59％におよぶ。もちろん、これは把握されている範囲の数なので、実際はもっともっと多いだろう。

ちなみに、韓国では2006年の1年間で、1265億ウォン（約162億円）

の偽ブランド品が押収された。商品の内訳はロレックス、ルイ・ヴィトンの高級時計、衣類、かばんなどだ。これ以後、韓国では偽ブランドへの取締りがきびしくなっている。

はたして、パチものはいずれ根絶されるのだろうか？

偽ブランド品は永久に不滅!?

中国での調査では「偽ブランド品は根絶すべき」という人が約42%。その一方で約27%もの人が「存続すべき」と考えている。これでは偽ブランド品はなくならないだろう。

実際、需要があるから供給があるわけで、日本国内でも本物は高くつくが見栄は張りたいのか、中国産の偽ブランド品を仕入れて販売する不届き者があとを絶たない。

近年は、ネットオークションを利用した取引が増え、摘発された偽ブランド品の流通経路の約40%におよぶという。今後もしばらくは、偽ブランド産業がしぶとく生き延びそうな気配だ。

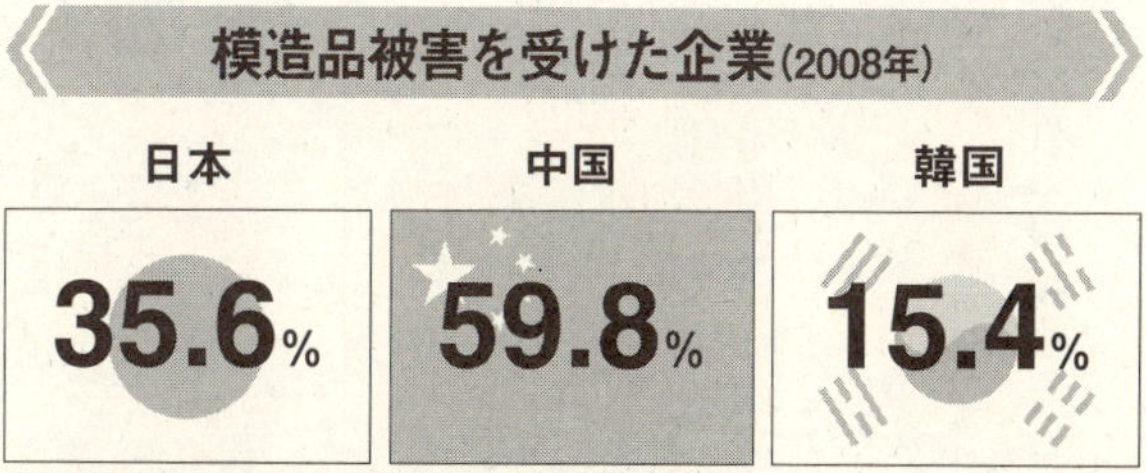

出典:特許庁「2009年度模造被害調査報告書」

04 コスメ費用

かつてはハデ化粧で知られた韓国。メイクにかける金額は日中の2倍

化粧は基礎からこだわる韓国女性

昔は韓国女性の化粧は日本よりハデといわれ、中国では経済開放まで化粧をする人自体が少ないといわれていたが、最近はメイクの技術も日本と差がない。

1カ月に化粧水や乳液など、肌をととのえるための基礎化粧品に使う金額は、日本では1千~3千円未満という人が最多の約32%、ついで3千~5千円という人が約24%だ。平均すると3千円前後となる。

これに対し、中国は100~199元（1236~2472円）という人が最多で約26%、その半分の50~99元という人と合わせると約50%をしめる。韓国では、平均額ラインが6万4167ウォン（4614円）と若干高い。外見を重視するといわれる韓国人が、やはり化粧にもお金をかけているようだ。

中国で資生堂とカネボウが対決

実際、韓国の化粧品市場はよく発達している。近年は、基礎化粧品と化粧下地、ファンデーションがひとつになったＢＢクリームが大人気となり、一時は日本でも爆発的にヒットした。はじめは10万ウォン（約１万３６００円）以上する高価な商品だったが、各社から発売されるようになり、価格が低下。ネット販売などでは10分の１ぐらいの価格でも入手できるようになっていた。

一方、中国の化粧品市場も急速に成長中だ。日本の資生堂は、すでに１９８１年に中国に進出しており、現在では、広い中国の各地で中所得層をメインターゲットにした専門店を３０００店舗以上展開している。これに対抗して、カネボウは富裕層向けの高級化粧品で進出している。

今後は、日本国内の化粧品販売で「中国でも大人気」がキャッチフレーズの商品が出てくるかもしれない。

１カ月の基礎化粧品代

日本	中国	韓国
1,000～3,000円未満	100～199元（1,236～2,472円）	6万4,167ウォン（約4,614円）

出典：インフォプラント「基礎化粧品に関する調査」ほか

ファッション・美容

05 美容整形

整形美人がめずらしくない韓国。面接でも、整形したほうが有利？

日本でも若い世代はプチ整形派が増加

美容整形熱の高さで有名なのは、韓国だ。整形をしてみたいと考える人は、日本では3人にひとり、中国では5人にひとりだが、韓国では、なんと4人のうち3人もいるのだ。とかく「人は見た目が大事！」という価値観が韓国では強いらしい。なにしろ、就職面接でも外見が大きく影響するため、「将来のため、子どもに美容整形をすることを考える」親が36％もいるという。

有名な女優などでも「あの人は整形している」と噂《うわさ》される人は多いし、みずから整形したことを明かす人もいる。

とくに若い世代ほど美容整形への抵抗感がないらしく、ファッションとして体に手を入れるという意味では、「タトゥーやピアスの延長」という感覚のようだ。これは日本でも同じだ。近年の大学生に対する調査では、美容整形をしてみたい人は女性では約63％、男性でも約25％におよんだという。

近ごろは、まぶたを二重にする程度の「プチ整形ぐらいならしてもいい」と公言する若い女性も多いが、「プチ」とつけるあたり、日本では整形に対するおよび腰ぶりがうかがえる。

整形美人コンテストがある中国

かたや中国では、美容整形者を意味する「人造美女」「人造美男」という新語が生まれている。2004年からは、なんと「人造美女コンテスト」が行なわれているほどなのだ（ちなみに2010年の選考委員長は、高須《たかす》クリニック院長の高須克弥《かつや》氏がつとめた）。

韓国も中国も、見栄えをより良くすることにかけては、日本よりはるかに行動力があるといえそうだ。

出典：アイシェア調査、『朝鮮日報』調査、Searchina調査ほか

ファッション・美容

06 美容院

年に1回しか髪を切らない？個人差が激しい中国人の散髪回数

中国ではかつて山口百恵の髪型も流行

美容院や理髪店に行く頻度は、人それぞれだ。日本人男性は「2カ月に一度」行く人がもっとも多く、約39％となる。女性は「3、4カ月に一度」が多い。

中国では「1カ月に一度」行く人が約33％でもっとも多い。ただし、「年に一度」という人が約6％もいる。さらに、「行ったことがない」という人も約4％いる。セルフカットですませる人も少なくないようだ。

また、韓国では「4カ月に一度」がもっとも多いが、全体の割合では約25％。「2カ月に一度」と「3カ月に一度」という人が約22％でならんでいる。

こうして見ると、中国も韓国もヘアカット回数は日本よりかなり個人差がある。とくに若い世代では、髪にこだわりをもつ人が増えているようだ。

近年の中国では、若手女優の範氷氷《ファンビンビン》の髪型が若い女性に人気だ。ドラマでの髪型をマネする女性が多いという。中国人女性は、誰も彼もが黒髪ストレートというイメージは、覆されているのだ。

ちなみに、80年代は日本の女優・山口百恵の髪型が中国で大流行したこともあった。

韓国では散髪もネットから受付

なお、インターネット大国の韓国では「ｏｎＨａｉｒ」という整髪のオンライン注文サイトが、若い世代に利用されている。

理髪店や美容院に行ってから髪型の希望を言うのではなく、あらかじめネット上のショップ一覧から髪型や料金の希望を選択してお店に行き、決済もネットですませるというシステムだ。なるほど、これなら「お店で切ってもらってガッカリ」となることが少ないだろう。

もっとも割合の高い散髪頻度

日本	中国	韓国
男：2カ月に一度（39.2%） 女：3、4カ月に一度（37.3%）	1カ月に一度 32.7%	4カ月に一度 24.9%

出典：マイボイスコム調査ほか

NORTH KOREA REPORT 01

北朝鮮のファッション

総書記のファッション改革命令

北朝鮮でも、とくに平壌《ピョンヤン》の若者は、かなりオシャレになったといわれる。かつては、地味な服装が多く、女性が人前で腕や脚を露出することはほとんどなかった。

しかし、1980年代から、国際行事などでの外国への見栄えを意識したのか、政府は国民がオシャレに気を使うことを奨励し、変化が起こったのだ。

現在では、腕を露出したノースリーブを着たり、イヤリングやネックレスのようなアクセサリーを身につける女性も増えている。また、勤務中はズボンでも仕事を終えたら女性らしい格好をすることが義務づけられている。スカート丈は膝《ひざ》までで、ミニスカートはほぼ存在しない。

服の流行は、こっそりと入ってくる韓国のスタイルを数年遅れでまねたものが多い。中国で縫製された製品が流通しているそうだ。

食

データ 02

日本・韓国・中国の
ごはん

食

国境を越えて人気のウマイモノ

もともと日本人は、あまり肉類を食べない「草食」、中国と韓国は肉をよく食べる「肉食」だった。

●食生活が変わった日本では「食育」が話題に

日本人の食事といえば、毎日、白い米のごはんにお味噌汁《みそしる》、焼き魚や納豆、漬け物などだった。

しかし、食生活の欧米化が進むうち、肉類やパンなどもよく食べられるようになり、朝食にいたっては、今やパン派がごはん派より多い。農産物の輸入自由化でなんでも食べるグルメになった代わりに、食糧自給率も大きく低下して、伝統的な食文化はすたれ気味だ。

２００８年には、中国製冷凍ギョーザに有害な農薬が混入していた事件が起こったが、これをきっかけに、輸入食品に頼りすぎることへの危険性が注目されることにもなった。また「何を食べるか」だけでなく、毎朝家族そろって朝ごはんを食べる習慣も失われ、夕食も外食が増えている。

そこで近年では、毎日食べるものがどこでどうやってつくられているかの問題や、メタボなどの生活習慣病を避け、健康な食生活習慣を考える「食育」も行なわれている。

食の安全が問題の中国では寿司ブーム

「足のあるものは机以外何でも食べる」といわれるぐらい多様な中国の食文化。熊《くま》の手、猿の脳みそ、サメのひれ、燕《つばめ》の巣など、広い国土でとれるさまざまなものが食べられている。

また、豚を筆頭に、羊や鶏、小麦、じゃがいもなど、農産・畜産物の数でも、世界ナンバーワンの食の王国なのだ。

そんな中国でも、海外の文化がさかんに入ってくるようになった１９９０年代以降は、欧米の食文化が広まってきている。

最近は外食産業が急成長中で、フライドチキンやハンバーガーのようなファーストフードのチェーンも競争がはげしい。よく知られている中国の飲み物といえば、ウーロン茶。しかし実際は、緑茶のほうがよく飲まれている。日本に入ってくる情報と実態とは、異なっているのだ。

日本人がもっとも気になるのは、食の安全をおびやかすニュースだ。欧米や日本ではすでに使用が禁止された農薬などが多く使用されている。このため、汚染された食品を警戒する消費者が増え、「緑色菜」「緑色食品」と呼ばれる無農薬野菜などの安全な食品の需要が高まっているという。

こうした健康志向の一環で注目を集めているものが、日本食。とくに低カロリー高タンパクの寿司だという。一方の日本では、医食同源をうたった漢方医学の健康食品がよく売れていたりする。どちらの国にとっても意外な現象である。

食

キムチは中国産が主流となった韓国

医と食は同源という文化は、韓国でも同じ。滋養強壮に効果バツグンの高麗人参などを使った料理や飲料が多い。

もっとも、外国の食文化の流入や輸入食品の増加で、伝統的な食文化がゆらいでいるのは、日本や中国と同じだ。

韓国の食べ物といえば、焼肉、チゲ、ナムルなどが有名。唐辛子やニンニクをきかせた臭う料理が多いのが特徴で、代表格はやはりキムチ。冬になると田舎では家々で自家製のキムチを漬ける習慣があり、街の料理店では、どこでもキムチは「おかわり自由が基本」である。

ところが、そんなキムチも、今や国内で食べられるものは、中国産の輸入品が多い状態になっているという。ちなみに、高菜や野沢菜などおいしい漬け物がたくさんある日本でも、いちばん売れているのはキムチである。

ごはん

01 朝食

「やっぱり白いごはん」の韓国。中国では職場でそろって朝食

日本の朝食は今やパンが主流？

「朝ごはんをきちんと食べなさい！」――学校はもちろん、家庭でも当たり前のように言われるが、東京、北京、ソウルの小学生はどうだろう。

朝ごはんを必ず食べると答えたのは、東京が約86％、北京が約85％、ソウルが約63％である。ソウルの小学生は5人にふたりが朝食を食べていないことになる。

その朝食のメニューでは、日本はパン派が子ども、成人ともに約50％、ごはん派が30～40％、残りはめん類や栄養補助食品など。韓国の朝食は、白いごはんにキムチ、ワカメスープやテンジャンチゲ（味噌鍋）、魚の煮付けなどといった、昔ながらの料理が定番だ。韓国では、朝食に限らず全般的にパン食が少ない。日本では学校給食でパン食が普及したが、韓国や中国ではごはんが当たり前だ。

おにぎりは食事とみなさない⁉

さて、韓国には「ごはんは熱いうちに食べるもの」という習慣がある。日本人がよく食べるおにぎりは、災害時の非常食のようなあつかいで、まともな食事とはみなされない。ただし、「キムパプ」と呼ばれるのり巻きは軽食として人気だ。

もっとも、そんな韓国でも、若い世代は食生活が変化してきている。このため、コンビニでは日本と同じようにおにぎりが売られているし、嫌いな食べ物

日本ではパンが多数派に。中国、韓国は伝統メニューが健在だ。

の筆頭に、なんと伝統食の代表であるキムチを挙げる子どもが増えているという。

朝は外で食べるのが北京流

一方、中国の朝食メニューは多様で、米のごはんのほか、饅頭《マントウ》、めん類、油条《ユウテイアオ》（揚げパン）に豆乳など、人によってさまざまだ。北京などでは、煎餅《ジエンビン》も手軽な朝食として人気が高い。これは、小麦粉をクレープのように平べったく焼いてネギやニンニクといった具を包み、味噌などで味つけしたもの。お好み焼きやチヂミに似ている。

さらに中国の食習慣でユニークなのは、外で朝食をとる人が多いことだ。大都市には朝早くから営業する料理屋があちこちにある。また、街中の屋台で油条や煎餅を買い、歩きながら食べる人もいる。

さらに中国では、わざわざ早く出勤して職場の食堂でそろって朝食をとるという人も多いという。

「朝食を必ず食べる」小学生の割合

日本	中国	韓国
86.3%（東京）	84.7%（北京）	62.5%（ソウル）

出典:社団法人日本青少年研究所　2006年調査

ごはん

02 人気の肉

牛肉の輸入で政権が動揺する韓国。だが、一番人気は豚肉だった！

日本では低迷が続く牛肉消費

食生活の変化で〝肉食〟になりつつある日本の、年間ひとり当たりの肉の消費量は約48キロ。しかし、中国の約57キロ、韓国の約52キロにはまだ劣る。

消費量の内訳を見ると、日本の1位は豚肉、2位は鶏肉、3位は牛肉だ。牛肉の消費は、1990年前後の農産物輸入自由化を機に上昇したが、21世紀に入るとBSE問題もあって低迷気味。牛丼チェーン店でもメインは豚丼になって久しい。

一方の韓国では、李明博《イミョンバク》大統領が、BSE感染の危険が残るアメリカ産牛肉の輸入を再開しようとしたため、国民の猛反発にあい政権が危機に陥った。

牛肉のために政権が左右されるとは、さすが焼肉の国。だが、じつは韓国でも牛肉より豚肉の消費量のほうが多く、焼肉のメインは豚肉なのだ。

世界中から
批判をあびた捕肉鍋《ポツンタン》

韓国では、13世紀の李氏《りし》朝鮮時代から肉食文化が定着した。そのおかげもあってか、モツやテール（尾の周囲）、さらには牛や豚の血液など、日本ではあまり使われない部位の料理が豊富だ。しかも韓国では、あらかじめ肉にたれをなじませてから焼くのが主流。肉食文化の歴史の深さが感じられる。

かつて韓国では夏に食用犬を使った捕肉鍋（犬肉鍋）でスタミナをつけるという伝統があっ

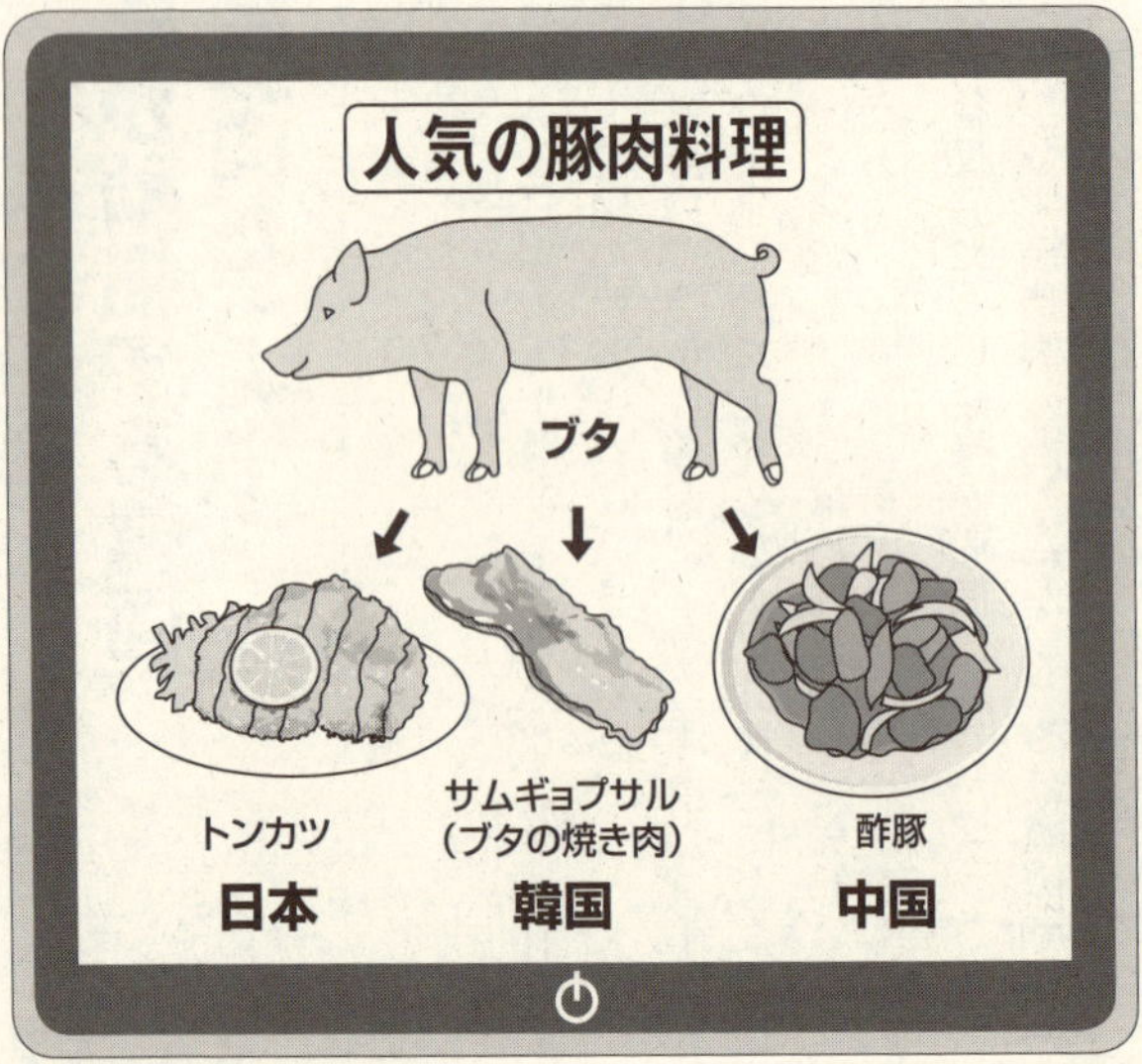

日本で人気のトンカツは、韓国でもよく食べられている。

た。だが、海外の動物愛護世論からの批判もあり、近年は犬肉食廃止をとなえる人がかなり増えているという。

日本の3倍、豚肉をよく食べる中国

中国も、肉類消費量の1位は豚肉だ。ひとり当たりの年間の豚肉の消費量は約40キロで、じつに日本の3倍以上もある。農村部で豚を飼育しているところが多いためで、豚の飼育頭数もダントツの世界一である。

中華料理でも、回鍋肉《ホイコーロー》、青椒肉絲《チンジャオロースー》、酢豚、饅頭や餃子《ギョーザ》の具など、豚肉を使うものが多い。広大な面積をほこる中国では、豚に加えて鳥肉や羊肉の料理も豊富だ。こと鳥肉は、鶏だけでなく、北京ダックなど鴨肉《かもにく》やアヒルもよく食べられている。

それだけに、韓国の政権がBSE問題で揺れるように、中国では鳥インフルエンザが蔓延《まんえん》し、社会問題となった。やはり肉は、国を動かす要因になりうるのである。

出典:FAO, FAOSTAT: Food Balance Sheets

ごはん

03 外食

日本より外食好きの中国人と韓国人。精算はワリカンなしで！

外食は誰かと行くもの！

じつは、中国や韓国は、日本より外食を楽しむ人が多い。成人で週1回以上外食する人は、日本では約57％だが、中国は約66％、韓国は約77％もいる。

とかく日本では、外食はお金がかかるというイメージがある。だが、中国や韓国においては、外食はただ外で食事をすることではなく、ほかの人といっしょに食事をするという大事なコミュニケーションの場になっている。とくに韓国では、ひとりで外食ということは少ない。「外食はたいてい誰かと行くもの」なのだ。

ちなみに日本では、出された食事は最後まで食べないと失礼に当たるが、中国と韓国では、レストランでも他人の家でも、食事はあえて少し残すのが礼儀だ。残してはいけないと思ってがんばって食べきり、お皿をカラにしてしまうと、「まだ食べたりないの？」と思われて、お代わりをどんどんもってこられてしまう。注意が必要だ。

もっとも、最近ではこの慣例は北京でもソウルでもすたれつつあるらしい。

ワリカンはケチに見られる

また、日本では多人数で外食に行くと、ワリカンにするという人が約84％と多数派だが、これは中国では約23％、韓国でも約41％しかいない。

中国でも韓国でも、食事は上司や年長の人間が目下の人間におごってやるのが当然。友人どうしでの食事の場合は、誘った側がおごり、おごられた側は「じゃあ次はオレが払うよ」という意識が一般的なのだ。

なんとも太っ腹というか、アバウト。だが、逆に考えると、日本人は良い意味でも悪い意味でも、平等主義が浸透しすぎているのかもしれない。

出典：インフォプラント調査

ごはん

04 人気の酒

けっしてマネしてはいけない！「イッキ飲み」より危険な、「爆弾酒」

韓国名物「爆弾酒」ってどんな酒？

毎年春になると、死者を出す事件が続発し、問題視されている「イッキ飲み」。しかし、韓国にはさらに危険な「爆弾酒」という酒席文化がある。ビールグラスの中に、さらに小さなショットグラスに入ったウイスキーを入れて、ひと息に飲むというものだ。そのあとグラスを振ってカランと音を鳴らすのがお決まりである。

当然、アルコール度数がやたらと高く、倒れる人が続出するが、これをやると酒席は過激に盛り上がる。韓国人はかなり酒好きだが、中国人も負けていない。

中国では手酌は厳禁で、注がれた酒は飲み干さなければ失礼に当たるという文化がある。下戸の人は、旅行に行く際、よくよく注意しなければならない。

さて、日本でいちばんよく飲まれている酒はやはりビールで、２番目はチューハイ・サワー類だ。韓国の酒といえばにごり酒の「マッコリ」が有名だが、いちばんよく飲まれているのは「眞露《チルロ》」などの焼酎《しょうちゅう》で、2位はビールだ。

世界一の生産量をほこる中国のビール

最近、中国ではビールとワインの人気が拮抗《きっこう》している。有名な「青島《チンタオ》ビール」のほかにも、種類は豊富で、中国産ビールはじつに年間3万5千キロリットル以上。ドイツやアメリカをしのぐ、世界1位の生産量をほこるのだ。また、ワインも国産品はまだまだ少ないものの、フランスなど比較にならないほどの消費量で、ダントツ世界一の市場である。人口が多いというのが理由だが、意外だ。

ビールとワインについでよく飲まれるのは、日本の焼酎に当たる「白酒《バイチュウ》」だ。中国の酒といえば、日本では茶褐色をした「紹興酒《しょうこうしゅ》」が有名だが、中国で紹興酒を好む人は白酒を好む人の半分ほどにとどまっている。

人気の酒

日本	中国	韓国
1位：ビール	1位：ビール	1位：焼酎
2位：チューハイ・サワー	2位：ワイン	2位：ビール
3位：ワイン	3位：白酒	

出典：マイボイスコム調査、サーチナ調査ほか

ごはん

05 ファーストフード

外食チェーンといえばマクドナルド……とは限らない、中国と韓国

世界ナンバー2のマクドナルド大国・日本

日本でファーストフードの代表格といえば、マクドナルドのハンバーガーだ。日本マクドナルドの初出店は1971年で、現在の店舗数は3715店におよぶ。これは、本家アメリカについで世界第2位の数だ。人気の要因には、てりやきバーガーなど、日本独自のメニューが発達した点も大きい。

だが、中国と韓国では、必ずしもファーストフード＝マクドナルドとは限らない。中国でマクドナルドは「麦当労」（読み方はマイダンラオ）と記される。店舗数は香港、マカオも含めると1240店で、うち200店あまりが外国人の多い香港に集中している。

じつは、中国ではケンタッキーフライドチキンのほうが人気で、マクドナルドの

2倍以上の2654店（日本は1137店）もある。パンにはなじみが薄いが、鶏の唐揚げが昔からある中国ならではの食文化も、人気の秘密だろう。

デリバリーものが人気な韓国

韓国のマクドナルド出店数は、237店にとどまる。これは、韓国では今でもパンより米を好む傾向が強いことに加え、外食といえば手軽なファーストフードではなく、本格的な料理をがっつり食べに行くという食習慣が残っているからだ。

マクドナルドより人気のファーストフードは、宅配とテイクアウトが主体のピザハットで、317店ある（日本は366店）。家で食べるほうが人気なのだ。

しかし、韓国マクドナルドも2015年までに500店を達成することを目指している。外食チェーンどうしの熾《し》烈《れつ》な競争がくり広げられそうだ。

マクドナルドの店舗数

出典：日本McDonald's Corporation　韓国McDonald's Corporation

ごはん

06 ラーメン

年間72回もラーメンを食べる韓国人。鍋のシメも「辛ラーメン」!?

消費量はやっぱり中国がダントツ

もともと中国から伝わった食べ物、それがラーメンだ。しかし、台湾生まれの安藤百福（日清食品創業者）が日本で発明したインスタントラーメンは、今やアジア共通の食文化となりつつある。

中国は、世界ダントツ1位のインスタントラーメン消費国で、年間なんと約409億食が食べられている。ちなみに日本では約53億食、韓国は約35億食だ。

だが年間ひとり当たりの消費量では、日本は42食、中国は約32食、韓国は約72食で、韓国が群を抜いており、東アジアどころか、世界一なのだ。

そんな韓国の名物インスタントラーメンといえば、辛《しん》ラーメンだ。その名のとおり、トウガラシとビーフエキスで激辛に味つけされた赤いスープが有名で、おみやげ屋でもよく売れている。鍋料理の「チゲ」に入れて食べる麺《めん》も、この辛ラーメンというのがお決まりだ。

ちなみに、韓国には古くから冷麺もある。もともとは北朝鮮から伝わったとされ、麺は日本のような小麦でつくられたものではなく、そば粉でつくられた透明なものだ。ソウルの冷麺専門店には、「平壌冷麺」と、北朝鮮北東部の咸鏡道《ハムギョンド》の郷土料理・「咸興《ハムフン》冷麺」の2種類のお店がある。

北京とソウルの子どもはそろってラーメン好き

本家の中国でも、都市部の若者や子どもにはラーメン人気が高い。小学生への調査では、カップラーメンを「週に2、3回は食べる」という子が、東京で約9%、北京とソウルは約15%にのぼっている。

広い中国では、今後も各地の幅広い年齢層に需要が拡大し、ラーメン大国の面目を保ち続ける可能性がおおいにあるのだ。

インスタントラーメン消費量(2009年)

日本	中国	韓国
53億4,000万食	408億6,000万食	34億8,000万食

出典:世界ラーメン協会

NORTH KOREA REPORT 02

北朝鮮の

キムチ事情

北朝鮮のキムチは白い?

今や韓国の代名詞のようにいわれるキムチ。だが、もちろん北朝鮮にもキムチはある。ただし北朝鮮ではただの白菜の漬け物で、赤くない。

公式には、亡き金日成《キムイルソン》主席みずから「人民が辛い物を食べて体を悪くしないように」という理由で、唐辛子の栽培を止めたとされている。だが実際は、経済政策の失敗で農業が立ちゆかなくなり、唐辛子の栽培ができなくなったようだ。

また、もともと朝鮮半島の北部では、キムチに唐辛子を入れる習慣が普及していなかった。

そもそも唐辛子は、朝鮮半島で生まれたものではなく、アメリカ大陸原産の作物。16世紀末の豊臣秀吉による朝鮮侵攻をきっかけに普及した。

唐辛子の入った赤いキムチは、日本と接する朝鮮半島の南部から広まったものだったのだ。これも意外な話である。

住

データ03

日本・韓国・中国の

住まい

住

コンパクトで快適を好む〝都市の住人〟

建て替えが進む日本、新築ブームの中国、昔ながらの要素を残す韓国と、住宅にも個性があった！

●「質」重視に変わりつつある日本の住宅

狭い日本では、長らく郊外の一戸建てや分譲マンションといったマイホームは庶民のあこがれの的だった。

しかし近年は、少子化の影響で人口減少に転じているため、地方では過疎化が進み、人の住まない家も増えている。

都心部でも、長期不況の影響もあってか、入居者が埋まらずにガラ空きのマンションやオフィスビルが目立つ。

しかし、それでも新築のマンションや新築のオフィスビルは多い。高度経済成長期に建てられた団地やビルの多くが老朽化して、建て替えの需要もあるためだ。

単にビルや住宅を新築するだけでなく、お年寄りや身体の不自由な人に配慮したバリアフリー化、ガスを排したオール電化、オートロックほかの高度なセキュリティなど、安全や環境を考えたリフォームも増えている。

より便利でシステマチックな家を好むわりに、都心ではなく少し離れた歴史・文化のある街に住みたがるのも特徴だ。

都市部の地価が上昇中の中国

バブル時代の日本のごとく、住宅やオフィスビルの新築ラッシュで空前の不動産ブームに沸いている中国。

もともと、社会主義体制の中国では、都市部の労働者には、国営企業が安い公営住宅を提供していた。国が住居をくれるのはよいが、建物は狭くて質が低く、しかも入居できる順番が回ってくるのに待たされることも多かったという。

しかし、１９８０年代以降は、個人での住宅の所有が認められ、経済の発展が進むにつれて、都市部では日本と変わらないような豪華な住宅や高層マンションが急速に増えていった。

とはいえ、せっかく新築のマイホームやマンションを手に入れても、住宅ローンに頭を抱える人は少なくない。こうした人々は、住居の奴隷という意味で「房奴《ボウド》」と呼ばれる。

若い世代では、親にお金を出してもらったり、新居を人に貸してローンの返済にあてるケースも少なくない。

また、住むのが目的ではなく、投機のための土地や住宅の売買も急速に増えている。北京五輪や上海万博を契機に都市部の地価はうなぎ上りで、まさにバブル景気である。

マンションに風水をとり入れる韓国

住宅といえば、一戸建てよりマンションが主流の韓国。これは、ソウルをはじめとする都市部に人口が密集しているためだ。

韓国のマンションは、日本のものより高層で、屋内も日本の

住

一般的な一戸建ての家より広々としたものが少なくない。それゆえか、ひんぱんに転居する人も多い。ひとり暮らしや新婚家庭は20坪未満の部屋に住むが、子どもが大きくなると広い住宅に引っ越すというケースがよくある。

もともと、韓国の伝統的な家では、窓の場所やベランダの場所などは「この位置取りが縁起がよい」といった風水の考え方をもとに決められていた。そもそも、ソウルが首都になったのも、李氏朝鮮の時代に遷都が行なわれたとき、風水で理想的な土地として選ばれたためだという。

また、儒教文化の影響で、男女の部屋をはっきりと分け、男の部屋は玄関に近い場所に、女の部屋は奥まった場所に配置することが一般的だ。ただし、夫婦の部屋はいっしょである。

こうした伝統的な習慣は、現在のマンションでもとり入れられていることが多い。韓国では、現代的な建物に住んでいても、生活習慣には昔ながらの伝統を重んじる人が多いのだ。

01 人口密度

人口密度は日本の半分以下なのに、2㎡のミニアパートがある中国

人口の4分の1が首都に集中

狭くて人が多いといわれる日本だが、韓国はもっと狭くて人が多い。日本の1・4倍も混んでいる韓国は、シンガポールのような都市国家を除けば、世界でもトップクラスの人口密度だ。

韓国の全人口は約4900万と日本の半分に満たない。しかし国土面積は、約10万㎢と日本の約4分の1しかないので、密集度が高くなるのも無理もない。

加えて、山地が多くて平原が少ない韓国では、都市人口の比率が80%以上にもおよび、なんと国民の約4分の1が首都ソウルに集まっている。東京が全国の10分の1だから、そのすごさがわかるだろう。

このため、ソウルは高層マンションがとても多いのだ。

国土は広いが人口密度は低い

その点、中国はさすがに広大な土地をもつ。人口密度は日本の約40%ほどで、スカスカだ。人口が日本の10倍、国土面積はさらに大きく日本の25倍もあるのだから、もっともな話である。

ところが、中国でも、内陸部は山脈や砂漠が広がる。じつは人が住むのに適した平原地帯は全国土の約12%しかない。驚きの事実である。

中国は、人口の半分近くが沿岸の都市部に集中し、北京や上

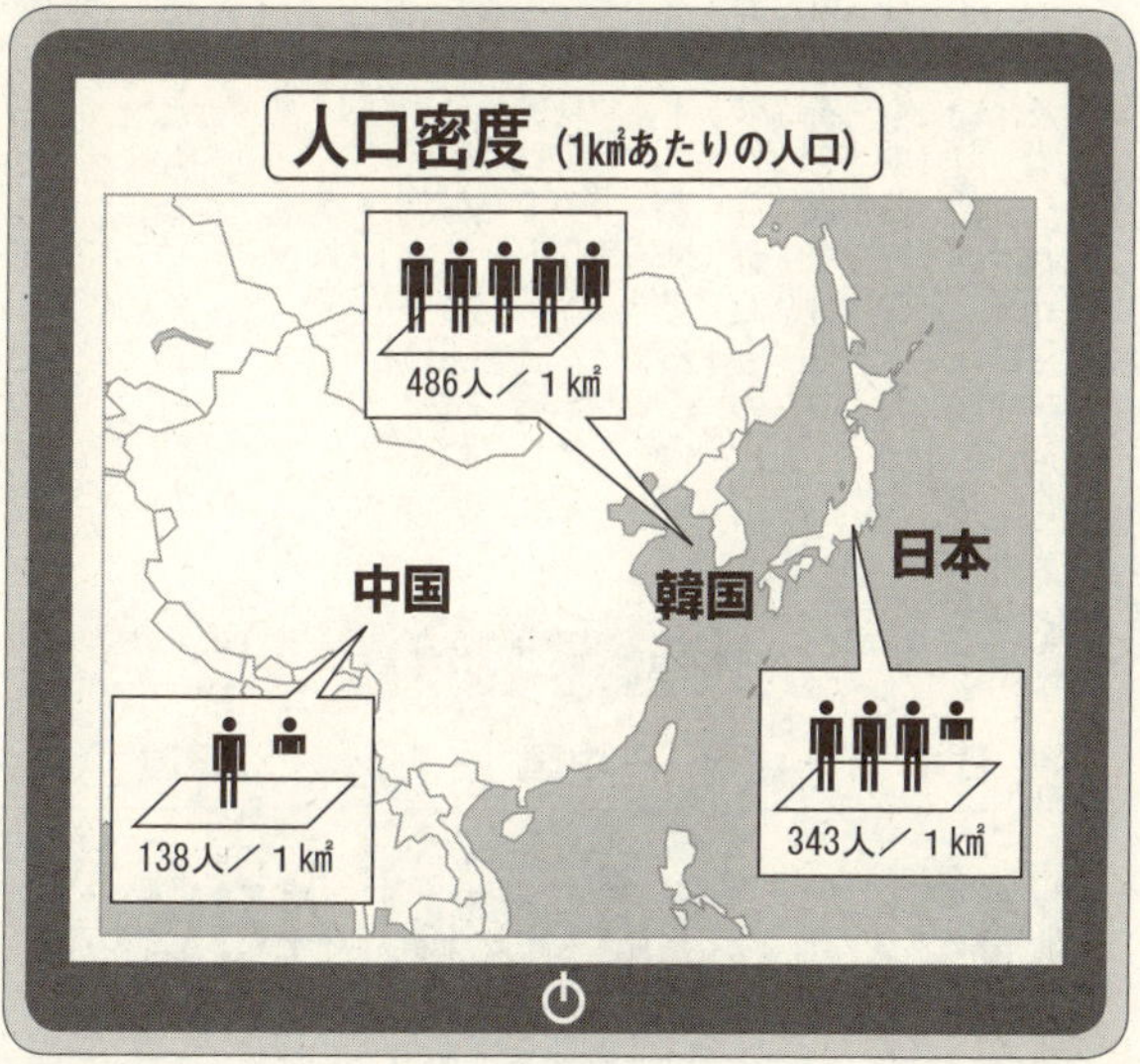

北京、上海、ソウルなどの大都市は、国全体の人口密度よりはるかに高い。

海のような大都市では、日本や韓国の都市と同じく人がすし詰め状態だ。

しかも、近年の中国は経済の発展にともなって農村部から都市へと人が急激に流れ込んでいる。

一部屋わずか2㎡のアパート！

そんな事情を反映してか、北京では、なんと一部屋わずか2㎡というカプセルホテルのようなアパートも登場している。

ベッドと小さなテーブルだけでスペースが埋まるこの部屋は、日本のカプセルホテルを参考につくられたものだ。はたまた香港では、広さ60㎡の部屋を金網で仕切り、なんと19人でルームシェアしている住宅もある。ひとり当たり約3㎡と、こちらも負けず劣らずかなり狭い。

部屋が狭くても都市部に住みたい人々も、都市部の急激な発展の副産物であろう。

出典:UN, Demographic Yearbook system, Demographic Yearbook 2007

02 住みたい街

中国、韓国とも縁が深い日本人の住みたい街

中国人や韓国人にもなじみが深い横浜

東京の都心は、物価が高く、道が狭く、空気も悪い。人が住むには適してないとよくいわれる。日本人が「住んでみたい都市」として選ぶのは、神奈川県の横浜市だ。なるほど、古くから港町として栄えた街で、オシャレなイメージも強い。

横浜は中国、韓国ともちょっとした縁がある。まず、有名な中華街。幕末に日本ではじめて開港して以来、欧米人のほか、当時の清朝の広東商人なども流入して発達した。

また、韓国では、日本語がわからない人でも「ヨコハマ」という地名を知っている人はかなり多い。これは、1960年代の歌謡曲「ブルーライト・ヨコハマ」の海賊版レコードが、かつて韓国の庶民のあいだで大ヒットしたからである。

ソウル近郊の新興住宅地が一番人気

その韓国でもっとも人気のある街は、もちろん首都のソウル……ではなく、そのすぐ南に位置する京畿道《キヨンギド》の果川市《カチヨンし》だ。

ソウルの中心から車で約30分、人口は7万ほどのこの小さな街には、国立現代美術館、韓国最大の大公園「ソウルランド」、同じく韓国最大のソウル競馬場がある。四方を山に囲まれ、便利さと住みやすさを兼ね備えた街といえる。

ちなみにソウルは8位だ。

人気の理由
◎横浜
町なみがキレイだし、買い物も便利。人が多すぎないところもイイ!
日本
◎北京
やっぱり首都。物価は高いけど、地方よりも給料がダンゼン高いもん。
中国
◎果川
ソウルに近くて便利よ。美術館や公園もあるし、緑も多いから住みやすいの。
韓国

韓国の果川市は、交通の便もよく、治安も保たれて住みやすいという。

中国の人気2位は上海ではなく杭州《こうしゅう》

中国の住みたい都市の人気ナンバーワンは、やはり首都の北京だ。もっとも、北京の面積は日本の四国より少し小さい程度とかなり広い。

この大都市の中心は、紫禁城のある故宮一帯だ。旧市街には「胡同《フートン》」と呼ばれる細い路地が広がっているが、オリンピックをきっかけに都市が整備され、昔ながらの街並みは少しずつ減ってきている。日本人をはじめとする外国人も多く住む高級住宅街・朝陽区《ちょうようく》も有名だ。

北京と拮抗して人気が高いのが、浙江省《せっこうしょう》にある茶の名産地・杭州だ。上海のやや南西に位置するこの都市には、景勝地の西湖《せいこ》をはじめとする観光名所が多く、人気が高い。上海よりのどかで、住みやすいイメージがあるようだ。

北京は別格として、ほかの3つの街は、大都市の近くにあり、文化が発達したアジア人好みの街といえよう。

住んでみたい都市

出典：マクロミル調査　長谷工アーベスト調査ほか

住まい

03 住居費

日本より安い中国と韓国の住居費。だが、支払いにはそれなりの苦労が

家賃は都会と農村でどっちがトク？

賃貸マンションを借りるとき、よく「家賃は収入の3分の1まで」と言われる。日本は地価も高く、住居費は高くつくイメージがあるが、実際はどうだろう。

家計にしめる住居費の比率を見ると、日本では約25％、中国は約14％、韓国は約17％だ。3分の1以下に抑えてはいるが、やはり日本がいちばん高い。

もっとも、中国のデータは、都市部と農村部で事情がかなりちがう。都市部世帯は住居費が約10％だが、農村部では約17％なのだ。いっけん、田舎のほうが地価も安くて家も広々としていそうなのだが、これには理由がある。

このデータのカラクリは、都市部の衣服や日用品、レジャーや教育関係の出費の比率が高いために、住居費の比率が低くなるというワケだ。

金額で見れば、農村部の平均的な住居費は都市部の約半分。しかし、都市部と農村部では3倍ぐらい世帯収入に開きがある。じつにややこしい話だ。

退去時に家賃を返してくれるシステム？

さて、家賃は毎月払うものだと思っていたら、韓国はそうではない。「入居時にまとめて支払い」これが韓国のスタンダードである。

伝《チョン》貰《セ》といわれるこのしくみにもカラクリがある。入居者は、最初に2年契約で家の価格の7割ほどの金額を払う。大家はこれを資産運用に回すが、入居者が出て行くときは全額返すというのだ。最後には入居費が返ってくるというのは魅力的だが、はじめに納める入居費を庶民が用立てられるかというと、やはりむずかしいようだ。

もちろん、お金がなければ日本と同じように月々払う月《ウォル》貰《セ》という方法もある。

家計にしめる住居費の割合

日本　　中国　　韓国

出典:OECD"National Accounts Vol.2 2008"　『中国統計年鑑　2009』

04 住宅面積

東京よりも狭苦しいソウルの住宅。中国の富裕層の家は庶民の7倍広い

北京の「標準的豪邸」に暮らす人々

都心の家は狭いとよくいわれるが「郊外の標準的な一戸建て住宅」の床面積を見ると、東京は150㎡、ソウルも同じく150㎡で、みごとに同じだ。これが北京だと、476㎡。つまり東京とソウルの3倍もある。

さらに庭などを含めた敷地面積となると、ますます北京に住む人がうらやましくなる。東京は200㎡、東京以上の過密都市といわれるソウルは150㎡、しかし、北京はなんと750㎡もある。これは、テニスコート約4面分の広さだ！

実際、北京の郊外で世界でもトップクラスの面積をほこる一戸建てのならぶ地域は、市の中心部からは遠く離れていて、ごみごみとした都会とは、まるで別世界のような雰囲気らしい。これぞ桃源郷ではないか。

……だがじつは、以上にあげた北京の一戸建てとは、あくまで北京でも外国人か、ごく少数の富裕層向けの地区に限っての「標準的物件」なのだ。

庶民の多数は日本や韓国より手狭？

では、外国人に開放された地区以外での、中国の庶民にとっての真の「標準的物件」は、いったいどのようなものだろうか？

中国の各都市では、4～6階層のアパートに住んでいるという人がもっとも多く、約54％をしめる。

さらに、住宅面積は「50～99㎡」がもっとも多く、約44％。その次に多いのが「100～119㎡」で約21％だった。

どうやら、庶民の多くは日本や韓国より狭い物件に住んでいるというのが実情らしい。ただ、富裕層のなかには、狭い都心に住みつつ、先に挙げたような豪邸を別荘として買う人もいる。これが「格差」というものなのである。

標準的な一戸建ての床面積と敷地面積

	日本	中国	韓国
床	150㎡	476㎡	150㎡
敷	200㎡	750㎡	150㎡
	（東京）	（北京）	（ソウル）

出典：日本不動産鑑定協会「世界地価等調査」

住まい

05 持ち家

三国で最低の日本の持ち家率。それでも地価が下がって近年は上昇

日本と対照的な中国のバブル

「賃貸か、購入か」で迷う日本人。リストラでローンが払えずに自宅を手放すというような話を聞いては、なかなか家を買うことはできないだろう。

このような経済状況を反映してか、日本の持ち家率は低い。住宅を所有している人の割合は、中国の88％、韓国の68％におよばない61％にとどまっている。当然、都市部ほど持ち家率は低くなり、東京都は約45％しかない。

もっとも、バブル期のような地価の異常な高騰も落ち着き、少子化で人口減少に向かっているためか、都市部の住宅価格は近年下がり気味。持ち家率は上昇しつつあるともいわれている。

中国も持ち家率は上昇中だが、同時に地価も高騰し続けている。長らく、共産主

義の建前のもとで国が質素な公営住宅を提供していたが、1998年にこの制度が廃止され、急激に土地と住宅の私有化が進んだのだ。

現在は、じつに中国人の約半数がマイホームを持つ。そして、そのマイホームの約81%が、1990年代以降に建てられたアパートやマンションなどだ。ということは……。そう、北京や上海のような大都市では、バブル期の日本とそっくりな土地の高騰が起こっているのだ。

韓国は集合住宅が主流

ところで、日本ではマンションなどの集合住宅のしめる割合が持ち家率の約30~40%だが、韓国では逆に集合住宅が60%以上をしめる。都市に人口が集中しているためだ。

韓国のマンション普及の大きな要因は、伝統的なオンドル(炭火利用の床下暖房)のしくみを応用した、灯油やガスによる床暖房完備のマンションが増えたためであろう。

出典:『世界経済・社会統計　2008』ほか

住まい

06 リフォーム

カギが6つもついた家がある？上海に住む人の尋常でない警戒ぶり

マンションでもキムチがつくれる韓国のキッチン

住宅のリフォームをするなら？　日本だと、まず外壁が直される。たしかに、長年住んでいると、傷みや汚れがはげしくなる部分だ。2位はキッチン。最近では、水回りや調理スペースなど、合理的に配置されたシステムキッチンにつくり変える家も、かなり増えている。

さて、韓国でリフォームしたい部分第1位はキッチンだ。これは食習慣の変化の影響もある。かつて韓国では、庭でキムチを漬けるものだったが、近年はマンション世帯専用のキムチの漬け込みと保存用冷蔵庫が普及している。都市生活に対応した台所用品や家電製品も登場し、日本と変わらない機能的なキッチンが、当然のように備わっている。この点、日本と韓国には差がない。

これに対し、中国ではリフォーム希望部分の1位はドアと壁である。防犯のためだ。上海などでは、なんとカギが5、6個ついたドアがめずらしくない。だが、「立派な家に見せたくて」と、わざとそうしている人もいる。

本格リフォームでオリジナルの家づくりも

ところで、中国ではリフォームというと、改装・改築ではなく、内装をゼロからつくる場合も含まれる。

とくに大都市では、新居を住人に引き渡す際に、まったく内装がなく、壁も床も柱やコンクリートむき出しの状態で引き渡すのがスタンダードだ。

これは住宅業者からの引き渡しを早くするためだが、同時に、中国の富裕層は既製品ではないオリジナルの内装を好むという理由もある。

そのせいで、ちぐはぐで乱雑な内装の家もあるが、ゼロから自分だけの家をつくるのは、ちょっと楽しそうだ。

出典:国土交通省「住宅市場動向調査　リフォーム住宅アンケート調査」ほか

NORTH KOREA REPORT 03

北朝鮮の 住宅事情

外見は立派な政府支給の住宅

平壌の人々が住むのは、もっぱら高層アパートだ。その多くは、壁が白くきれいで、いっけん立派な建物に見える。しかし、これは見栄えのために建材にしめるセメントの量を多くしているためで、強度は弱くて傷みやすいという。

一方、農村部は昭和30年代の日本の地方のような、のどかな風景である。平屋や２階建ての低層住宅が多く、壁は白くて見栄えがいいが、電気やガスなどのインフラの整備は貧弱。現在でも暖房には薪《まき》を使うような家が少なくない。

社会主義のタテマエから、住居は政府がタダで提供し、公式には個人所有の住宅はない。

ただ実際は、新しい住宅が供給されないことも多く、狭い家に２世帯が無理やり同居することも。お金に余裕のある者のあいだでは、住宅の利用権がこっそり売買されているようだ。

健

データ 04

日本・韓国・中国の

健康・福祉

健

タイプはちがうが国ごとに疼《うず》く格差

医療先進国の日本、伝統の東洋医学が今も残る中国と韓国。だが、医療サービスのばらつきは大きい。

●医師は不足、ワガママな患者は増加する日本

約30年前からずっと平均寿命世界一をほこる日本だが、それを支える医療がゆらいでいる。

まず指摘されるのが、医師と看護師の人手不足。とくに、高度な技術が要求されるうえに、急患やむずかしい手術などでたいへんな仕事の多い外科系が減って危機を迎えている。

このせいで、夜間に救急患者が運ばれてきても病院側が受け入れることができず、たらい回しになって不幸な結末を迎える事件が多発しているのだ。

ところが、その一方で「ガラスの破片で指先を傷つけた」な

どの軽いケガや症状なのに救急車を呼びつけたり、治療費を踏み倒す「モンスター患者」が増えている。こうした患者のために、本当に重症の急患の治療が邪魔されることもあるのだ。

また、値段がどんどん上がっているタバコについては、中国や韓国にくらべて、日本だけ女性の喫煙率がかなり高い。

高度な医療が当たり前に受けられることに慣れすぎて、ありがたみを忘れかけているようだ。

医療格差や伝染病など、中国も問題だらけ

中国は、鍼灸《しんきゅう》や気功など長い歴史をもつ漢方医学の本場だ。現代の医療でも、伝統的な中医学（中国医学）と、西医学（西洋医学）が対等とみなされている。

かつて中国では、社会主義体制のタテマエのもと、医師はすべて国や地方の公的機関に属し、基本的な医療費は無料という方針をとっていた。病気がちな人には、理想的なシステムだ。

しかし、実際は「西医学」を身につけた人間は少なく、医療機関の普及していない地域も多かった。

ここ30年ほどで医療機関ごとに独立採算制が導入されたことで、収入のよい病院では医療が充実していった。当然、そうではない病院も多く、地域による医療格差が深刻化している。

適切な医療を受けられない患者のなかには、わざわざ都市部まで出てきて、徹夜で病院の前にならぶ者もいるという。もっと貧しい農村では、生活のために血を売ったことが原因で、HIV感染が広まったという事態も起こっている。

こうした状態への批判の声は多く、政府では全国規模での基本医療サービスの均等化などの改革が唱えられている。

看護師派遣サービスをはじめた韓国

医師不足や都市部と地方の医療格差の問題は、韓国も同じだ。都市部に人口が集中していることで、医療機関や、医師を養成する大学も都市部ばかりに集まっているためである。

韓国でも核家族化や少子高齢化が進み、家庭内に病人や介護の必要なお年寄りがいても、世話をすることがむずかしくなっている。

そこで、1990年からは家庭看護師制度というものが導入されている。これは、各家庭を専門の看護師が訪問して医療サービスを行なうというものだ。

ちなみに、韓国でも中国の漢方のように、西洋医学とならんで「韓方」と呼ばれる伝統的医療が普及している。しかも、同じ医師でも西洋医よりも、韓方医のほうが高収入だという。街の薬局でも、昔ながらの「韓方薬」を処方してくれるところが多いそうだ。

なお、体重を気にする女性が多い日本や、もともとやせている人が多い中国にくらべ、韓国は肥満率が高い。カロリー摂取量も多いが、近年はダイエットにはげむ人が増えてきている。

01 平均寿命
中国より寿命が10年長い日本。しかし、高齢者を敬うのは中国、韓国

高齢化に苦しむ日本

世界トップの平均寿命をほこる日本。中国より10歳近く高い。しかしそれだけに、世代別人口比で高齢者の多さが目立つ。

そんな日本では、高齢者を養うための年金の負担増、介護問題や孤独死など、多くの社会問題に直面している。さらに、ひどいことに若い世代で高齢者をお荷物とみなす風潮もある。

この点、年長者を敬う儒教の価値観が浸透している中国と韓国では、敬老精神が根強い。若い者が電車内でお年寄りに席をゆずったりするのは当たり前。とくに韓国では、老人の前では後ろ手を組んではいけない、帽子と眼鏡は外さなければならないなどの、じつに細かい敬老マナーがある。

時代の変化の前に揺れる伝統的敬老文化

経済成長した中国では、高齢者をめぐる環境が大きく変わりつつある。

かつて中国の高齢者は、国営企業や公営の集団農場などの「単位」ごとに、住宅や医療、年金のサービスを受けていた。

だが近年は、「単位」の民営化が進み、国が老後を養うという形ではなくなった。

加えて、ひとりっ子政策のため、頼りにできる子どもの数も年々減っている。

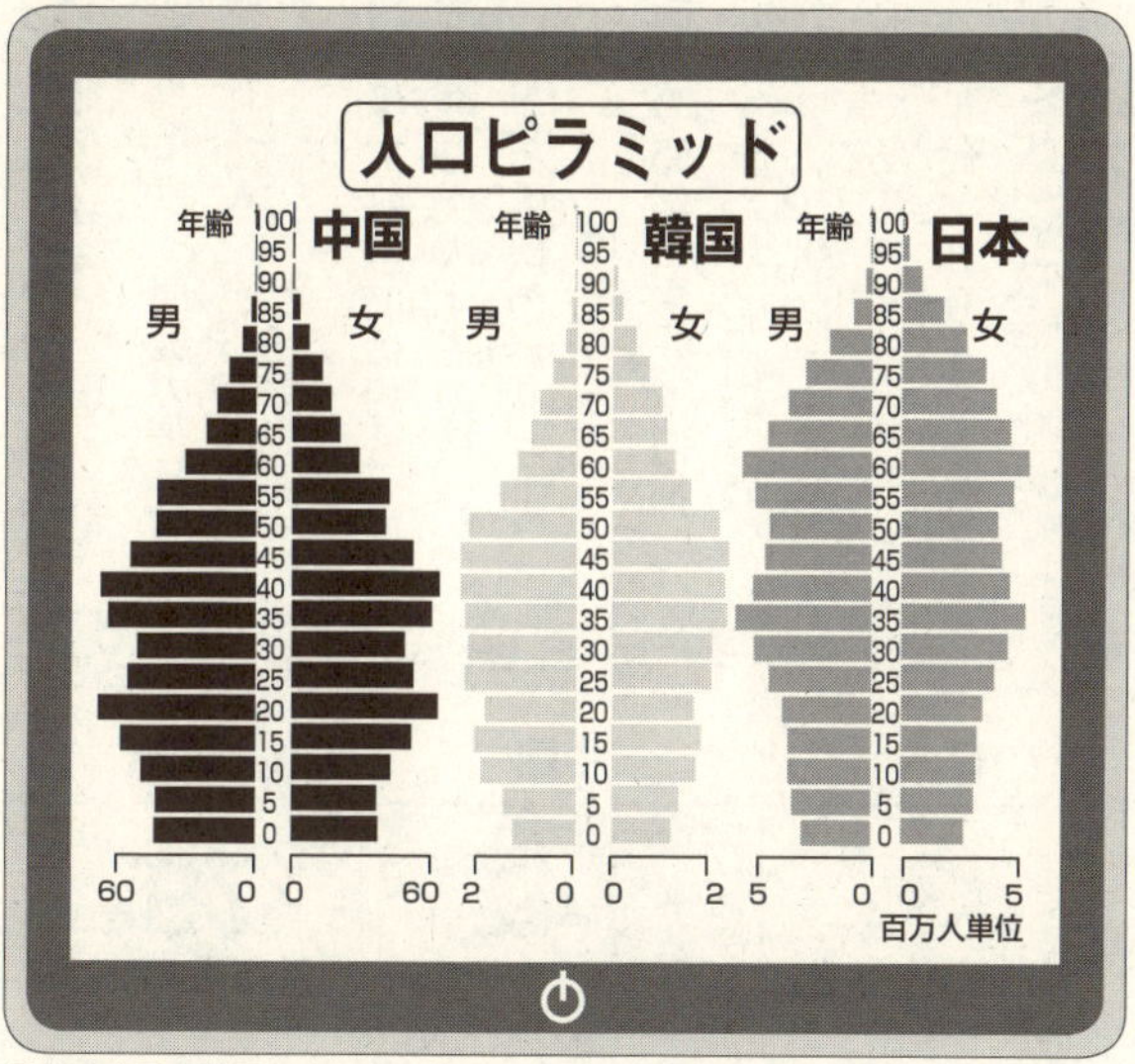

日本は中国や韓国にくらべ、人口にしめる60歳以上の割合が高い。

中国と韓国が高齢社会になるのは何年後？

さて、日本は５人にひとりが65歳以上だ。団塊の世代（１９４５年から50年ごろまでに生まれた人）が65歳以上になり、さらに高齢人口も増え続けている。

一方、中国の65歳以上の人口は約11％、韓国では約８％だ。韓国と中国が日本に続いて高齢社会に突入するのはいつか？ その答えは、団塊の世代と同じく、人口のボリューム層がカギを握っている。

韓国では、朝鮮戦争が停戦したあとの55年から、人口抑制がはかられる前の65年ごろまでに生まれた層。中国では、毛沢東が多産を奨励した65年ごろから、ひとりっ子政策が導入される79年ごろまでに生まれた層である。

この世代が65歳以上になる２０３０年代、２０４０年代が高齢社会の入口だ。そのころ、韓国と中国の敬老文化は、どうなっているのだろうか？

平均寿命（2007年）

日本	中国	韓国
83歳	74歳	79歳
（男79歳／女86歳）	（男72歳／女75歳）	（男75歳／女82歳）

出典:WHO, World Health Statistics 2009

02 出生率
人工的に少子化を進めた中国。親のめんどうは誰が見る？

三国とも子どもは一家にふたり以下

少子化の進行は、日本、韓国、中国ともに共通する課題だ。人口1000人当たりでの出生率を見ると、日本が7・5人、韓国が9・1人に対し、中国は13・7人と高め。しかし、合計特殊出生率（15歳から49歳までの女性が産む子どもの数）は、日本が1・27、韓国が1・22、中国が1・77と、中国がやや多いものの、いずれもふたりに満たない。

多くの少子化対策がとられている日本だが、たとえば、育児休暇制度はあっても、実際は休むに休めない状況があったり、問題点が多い。昨今では教育費がやたらとかかることも出生率に影響を与えており、2010年から導入された「子ども手当」が、どの程度効果を上げるかも注目されている。

ひとりっ子政策の中国で「ふたり目ＯＫ」の条件は？

中国の出生率には、「ひとりっ子政策」が影響しているが、実態は不明瞭《ふめいりょう》な部分も多い。

とくに農村部では、第二子以降を産んだことで処罰されるのを避けるため、出生の届け出がされず、戸籍のない子どもがいる。この無戸籍児は「黒孩子《ヘイハイズ》」と呼ばれ、一説によれば数千万人におよぶともいわれている。

とはいえ、都市部で少子化が進む中国は２０３０年ごろには人口が14億６千万でピークに

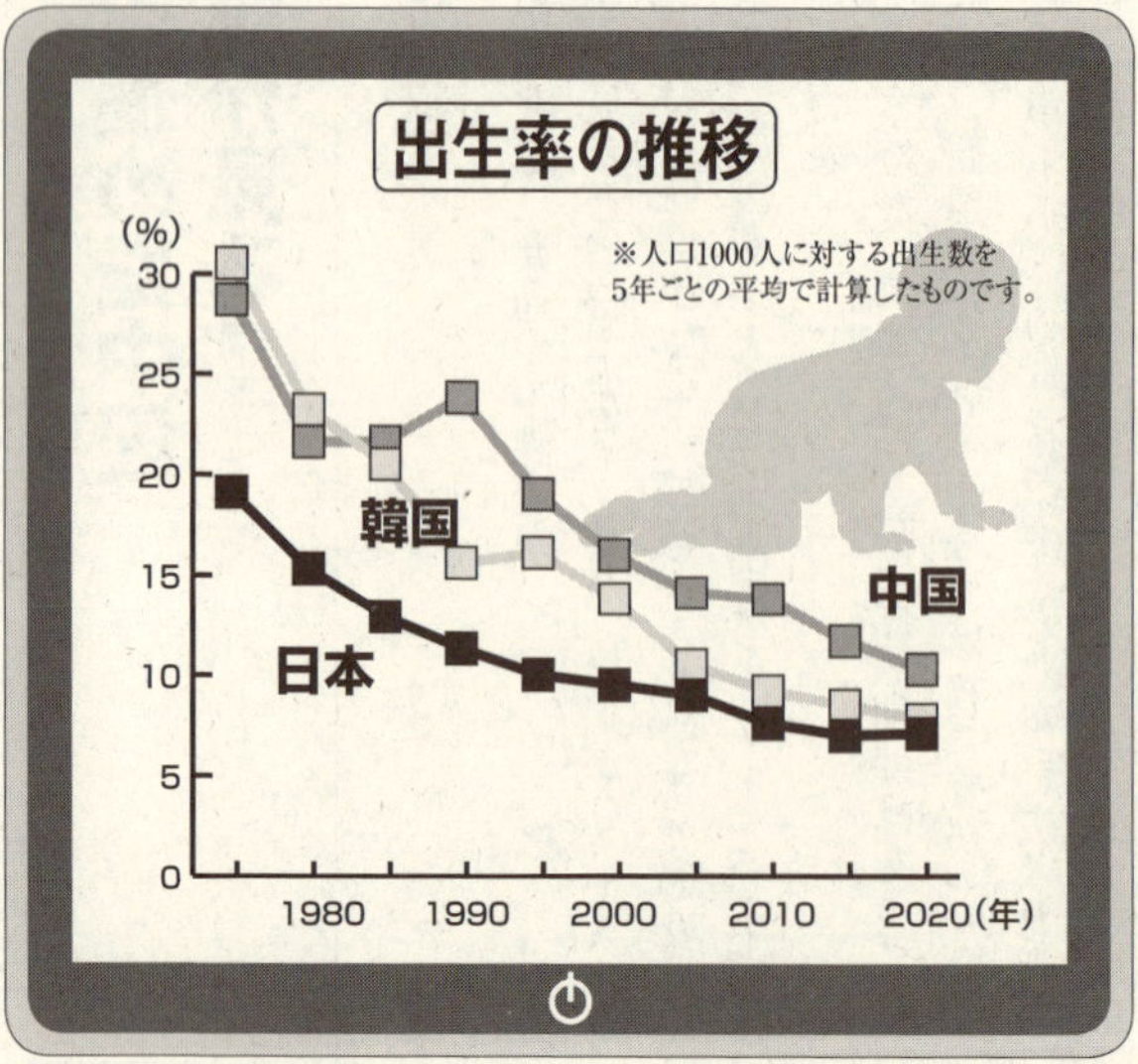

日本、韓国は10%を割り込み、中国も1980年代から出生率が大きく低下している。

なったあと、減少に転じると予想されている。

　このため、最近では将来を懸念して、両親がともにひとりっ子の場合は、ふたり目の子を産むことを認めるようになっている。

貧困層が増え、人口が減る韓国

　じつは、韓国でも中国に先んじて1960年代から、人口の抑制が推奨されていた。当時は国が貧しく、養う子どもは少ないほうが良かったからだ。だが、90年代以降、政府の方針以上の急激な少子化が進んだ。

　近年、韓国では若者でも貧困層が増えているため、子づくりどころか、結婚もままならないようだ。

　徴兵制がある韓国は、このままだと軍隊の維持がむずかしく、「傭兵《ようへい》の必要性」が議論されている。

　養う老人の数が多い中国も、戦争の危機がつねにある韓国も、日本以上に少子化は深刻な問題なのだ。

出典:UN, World Population Prospects: The 2008 Revision

03 HIV

貧困が原因で出現した中国の「エイズ村」。韓国では、外国人感染者を追放!?

女子大生が衝撃の告白本を刊行

エイズ（後天性免疫不全症候群）を発症させるＨＩＶの感染者は、中国で約70万人、日本で約1万人、韓国では約1万3千人とされている。あくまでも把握されている数なので、実際は未知数だが、どの国も増加中なのはまちがいない。

中国では『エイズ女子大生日記』という本が話題を呼んだ。武漢《ぶかん》市の女子大生が、エイズ問題への啓発を広めるため、思い切って自分の感染経験をインターネットのブログに記したものがもとになっている。

また、河南省の内陸には、エイズ村と呼ばれる地域がある。貧しい農民たちが生活のために売血を行なっていたところ、医療機関のずさんな注射針管理のため、ＨＩＶに感染する村人が続出してしまったのだ。まさに貧困が生んだ事件である。

日本でも１９９０年代に厚生省（当時）による薬害エイズ訴訟が大きな問題となったが、農村部の貧困が背景に加わっている分、中国のほうがより深刻な話のようだ。

外国人のＨＩＶ感染者は追放？

一方の韓国では、性道徳にきびしい儒教の価値観が根強いため、ＨＩＶ感染者への偏見も強い。

なにしろ、実際に韓国の入国管理局がＨＩＶ感染者の外国人を強制送還させようとしたため、人権問題や保健衛生の国際団体から非難を受けるといった事件が起こっているぐらいだ。

ただし近年では、エイズ問題を率直に取りあげるテレビ番組も登場したり、人気女優のコ・ソヨンがＨＩＶ予防キャンペーンに起用されるなどのこころみがはじまっている。エイズ問題に対するオープンな取り組みが、今後どんな効果をもたらすか、隣国の日本、中国も注目している。

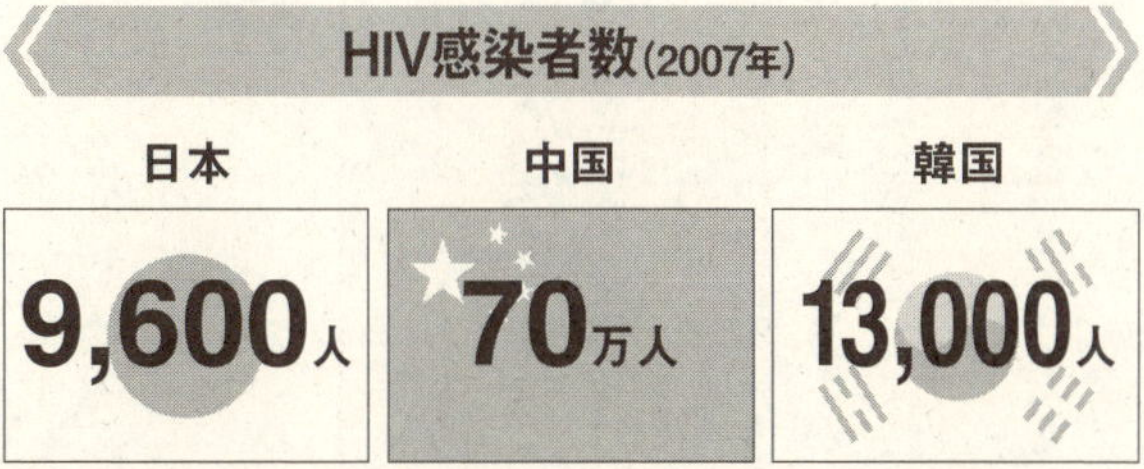

出典：UNAIDS, 2008 Report on the global AIDS epidemic

健康・福祉

04 喫煙

男性の愛煙家が多い中国と韓国。日本の喫煙率を支えるのは女性!?

飲食店や街中で禁煙の場所がめっきり増えた日本は、愛煙家にはツライご時世になりつつある。現在、日本の喫煙率は約29%だ。これが中国では約32%、韓国では約30%で、意外に日本との大きな差はない。

ところが、喫煙率を男女別で見ると、大きな差が出る。日本は男性が約44%、女性が約14%、中国では男性がじつに約60%、女性はわずか約4%、韓国でも男性が約53%、女性が約6%となる。日本の喫煙率を陰で支えているのは、意外にも女性といえるかもしれない。

女性が人前では吸いづらい韓国

同様に中国や韓国でも、公共の場では禁煙が増えているが、男性にはまだまだ愛煙家が多い。

しかし、女性に慎ましい態度が求められる儒教文化の影響もあり、女性の喫煙には世間の目がきびしい。

韓国の女性愛煙家は、路上でタバコを吸うと人目につくためか、喫茶店に入って吸うことが多いようだ。

中国でもメンソールが流行？

日本で女性の喫煙率が伸びた背景には、ここ20年ほどで、外国ブランドによる、メンソール入りやタール量の少ないタバコが増えた点があるだろう。

今後は、中国でも市場経済の広まりとともに、ライトなイメージの外国産タバコが増えると見られている。2005年には、アメリカの大手メーカーのフィリップモリスが中国に進出した。

健康志向の強い先進国では禁煙が広まりつつあるが、欧米のタバコメーカーにとって、中国は最後の大きな市場にちがいないのだ。

喫煙率（2005年）

日本	中国	韓国
29.3%	31.6%	29.5%
（男44.3%／女14.3%）	（男59.5%／女3.7%）	（男53.3%／女5.7%）

出典：WHO「World Health Statics 2008」

05 肥満率

日本と中国を引き離す韓国の肥満率。太りぎみ女性のほうが精神は安定？

子どものためにお菓子ＣＭ制限？

意外なことに、日本、中国、韓国で、肥満度がいちばん高いのは韓国である。身長と体重をもとに計算されるＢＭＩ値から「肥満」とされる人の割合は、日本では１・７％、中国では１・８％、韓国では７・１％なのだ。

実際、韓国のひとり１日当たりのカロリー消費量は約３０５３キロカロリー。日本より１割ほど多い。日本も韓国も、１９６０年代以降は食生活の欧米化が進んだ。とくに韓国は、古くから肉を食べる文化だったこともあり、高カロリーな食事をとっているにちがいない。

そんなわけで、韓国では肥満に対する警戒心も強いようだ。最近は子どものおやつでも、肥満を防ぐためにチョコレートのような高カロリーのお菓子は控える傾向が強く、さらには、カロリーの高い食品はCMを制限する動きさえあるという。

ちなみに、日本と中国では男性のほうが肥満率は高いが、韓国は女性のほうが高い。ただし、統計的に見ると、韓国女性は太り気味のほうがうつ病は少なく、精神は健康となるようだ。

本場の漢方ダイエットの効果はいかに？

日本と韓国より肥満度の低い中国も、経済成長とともに食生活の高カロリー化が進むためか「ダイエットに興味がある」という人が約54％と半分以上だ。

もっとも、食事制限、鍼灸、脂肪吸引などのダイエットやフィットネスに励んでも「まったく効果がなかった」という人が72％におよんでいる。

こう聞くと、中国伝来の漢方医療ダイエットも、ちょっと疑わしくなる。

出典：WHO調査

健康・福祉

06 自殺率

自殺を否定するのに、世界トップクラスな韓国の自殺率

じつは日本も世界的には自殺が多い

近年、韓流スターの自殺がワイドショーを騒がせることが多い。実際、2001年ごろから韓国では自殺率が急増している。死因にしめる自殺率は、韓国では4・7％にのぼり、日本の2・9％、中国の3・6％より高い。

ところが「自殺はまったくまちがっている」と考える人は、日本では約46％、中国では63％で、韓国では約45％と日本とほとんど変わらないのである。ここには、深い事情がかくされている。

なぜ韓国で自殺が多いのか？　自殺の動機には、精神的な悩み、経済的な問題などが挙がる。その背景には、近年の韓国が学校でも会社でも、つねにライバルとあらそう競争社会になったという事情がある。また、かつての日本のように、恥をさ

らすより死を選ぶ意識も強い。さらに、昔ながらの家族や隣近所などとの付き合いが薄れて、身近に相談できる人がいない人が増えている状況もあるのだ。

ちなみに、自殺率の世界平均は1・5%なので、国際的なレベルから考えてみると、日本も含めて東アジアは自殺率は高めな国々となってしまうのだ。

世界の自殺者の3割をしめる中国

人口の多い中国の自殺者数は、なんと世界全体の自殺者数の30%をしめるという。最近の中国では、発展にとり残されたまま、自由開放経済の荒波にさらされる農村部の貧困層で自殺が増えているという。

じつは日本でも、かつて敗戦から急速に経済が発展した昭和30年代、社会の激変に振りまわされる人が増えたためか、自殺率が急増した。現在の中国は、当時の日本と似た状態にちがいない。

出典:UN, Demographic Yearbook system, Demographic Yearbook 2004

NORTH KOREA REPORT 04

北朝鮮の

医療

入院患者には懐中電灯が必要

「医療費はタダ」それが北朝鮮である。だが、医薬品や医療器具がまったく足りず、国民の多くは、マトモな治療が受けられていない。

慢性的な栄養不足などのため健康状態が悪い人が多いのに、皮肉にも入院する人は少ない。

どうしても入院しなければならない場合は、患者がみずから病院で必要になるものの多くを用意することになる。ふとんや食器はもとより、消毒液やビタミン剤ですら、闇《やみ》市場で買わなければならない場合もある。夜間の照明がつかない病院もあり、懐中電灯も必要だ。

外国人の医師が目撃した話では、子どもの盲腸炎の手術が、麻酔をほとんど使わずに行なわれることもあるという。その一方、朝鮮労働党の幹部は、専用の病院で高度な治療を受けることができる。北朝鮮の医療格差は、じつに深刻なのだ。

恋

データ 05

日本・韓国・中国の

恋愛・結婚

恋

時代の変化に敏感な男女が台頭

日本は男女の意識が逆転、中国では打算もストレートに、韓国では男尊女卑から男女平等に……。

●正直な自然体が増えた日本の男女

異性に対しガツガツしない「草食系男子」、逆に異性に積極的な「肉食系女子」がめずらしくなくなってきた日本。

ある意味では、男は無理に格好つけず肩の力を抜いてもよくなったともいえるし、女は無理に自分の欲求を抑え込まず正直にふるまってもよくなったともいえる。

もっとも、こうした傾向がカップル成立や結婚率の上昇に寄与しているかといえば、むしろ逆に、恋愛や結婚にとらわれなくてもかまわないという傾向が強くなっているようだ。

かつては、男女とも、結婚しなければ一人前とはみなさないという価値観が強かった。しかし、核家族化や個人主義が進んだ結果、未婚者が増えている。

もちろん、恋愛や結婚に関心が高い人も多い。草食系とは逆に積極的にモテたい男性も少なくないし、不況の影響もあり、最近の女性には専業主婦志向が増えている。もっとも、希望に合うだけの収入のある男性は不足しているようだが。

中国は純情志向から打算志向？

日本にくらべると、中国はまだまだ恋愛や結婚には積極的な人が多いようだ。実際、初婚年齢は日本より平均6歳も若いし、一族総出の派手な結婚式も人気が高い。

また、出版や報道の規制が強く、日本のように恋愛や性に関する情報が自由にあふれているわけでもないためか、純情な人が多いようだ。結婚を考えている相手であっても、結婚前の性交渉はよくないと考える人が半数以上をしめている。

それでも、世の中が豊かになるにつれて、恋愛や結婚に対するぜいたくが現われてきている。

最近、テレビのお見合い番組で「自転車に乗って笑うより、ベンツに乗って泣くほうがよい」と発言した女優が、お金に対する欲望の強さを象徴していると話題になった。

むろん、こうした女性が多数派というわけではないが、これもまた国が右肩上がりに成長していることの表われといえるだろう。

古い男女観を脱しつつある韓国

基本的に男尊女卑、男は男らしく、女は女らしく。これが韓国の伝統である。不貞や風紀の乱れは厳禁！　といった、まっすぐな生き方を求められる傾向にある。

この価値観の強固さを物語るのが、姦通《かんつう》罪だ。結婚している男性あるいは女性が不倫すると、法律で処罰される。日本にもかつて姦通を処罰する法律があったが、廃止された。韓国では日本統治時代につくられた姦通罪が残されたのである。ただし、「さすがに時代錯誤だろう」と廃止を求める声も現在は強い。

また、伝統的価値観に束縛されない女性も増えてきている。韓国人女性が男性に求める条件は「三低」だという。つまり、低姿勢、低リスク（公務員、専門の職業をもつ）、低依存（依存や束縛をせず、おたがいを尊重する）というわけだ。

同時に、日本と同じように、家事は男女でいっしょに行なうべきという考え方も広まってきている。時代とともに男女平等が進むのは自然な流れだが、日本と違い、韓国では依然として「男は男らしく」という意識を根強く支えるものが残っている。そう、徴兵制だ。

しかしながら、今の韓国の女性は、男性が軍隊で味わった苦労に理解のない人もけっこういるという。兵役のため彼女と離ればなれになる男性にとってはツライ現状である。

01 結婚率

伝統的な結婚制度がすたれる韓国。中国では日本以上の結婚難時代に？

「非婚化」の先頭を行く日本

「婚活」が真剣に語られるように、日本では近年、若い男女の結婚のハードルが高くなっている。韓国、中国とくらべても、日本の婚姻率は低い。

初婚年齢を見ても、中国は男性25歳、女性23歳、韓国は男性30歳、女性27歳に対し、日本は男性31歳、女性29歳。この背景には、日本では男女とも個人主義が進んで昔ながらの見合い結婚が衰退した点、女性の社会進出、さらに近年では、雇用形態の変化にともない収入が安定しない男性が増えていることも影響している。

日本を含めて東アジアでは、もともと、血統の存続を重視する儒教文化の影響で、結婚は新郎と新婦の個人と個人のあいだで行なうというより、新郎の家と新婦の家のあいだで行なうという意識が強かった。

独身者には「死後婚」もあった韓国

韓国では同じ血統とみなされる同郷で同姓の者どうしの結婚を禁じたり、新婦側が一族の面目を示すために新郎側に豪華な家財道具一式を収めるといった伝統的習慣があった。

さらに、韓国では未婚の人間は半人前扱いされるので、未婚のまま亡くなった人に、わざわざ同じく未婚のまま亡くなった異性の相手を見つけて「死後婚」するという習慣まであった。

とはいえ、さすがに今ドキの

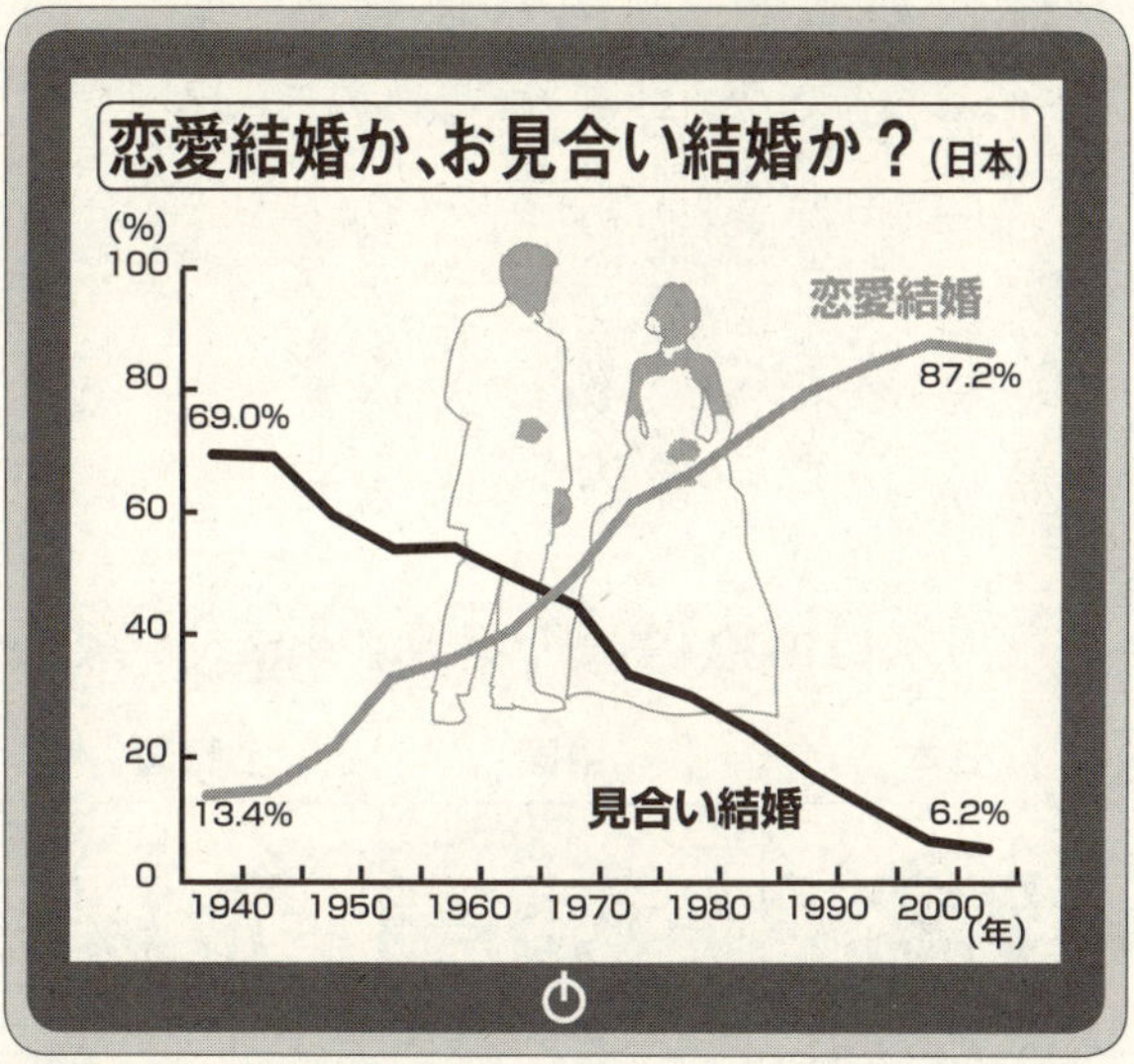

70年代に見合い結婚と恋愛結婚の比率が逆転し、現在は大きく差が開いている。

韓国の若い世代のあいだでは、こういった習慣はすたれ、恋愛結婚志向が進んでいる。

中国では男が多いのに女が余る!?

人口増加を抑えた「ひとりっ子政策」が大きく影響している中国。当然、跡取りには男子をほしがる家が多い。そのため中国では、女子100人に対し男子が119人という男女人口比のアンバランスが発生している。

嫁不足に苦しむ農村の一部では、事実上の「一妻多夫」のケースもあるという。ところが、逆に都市部では、独身男女の比率が3対7という「女余り」現象が起こっている。これは「どうせならより高学歴、高収入の男をゲットしたい」と思って、婚期を伸ばす女性が増えているためだ。

近ごろの日本では、結婚できない「毒男」（独身男）が増えているとされるが、中国の男性は、もっときびしい立場なのである。

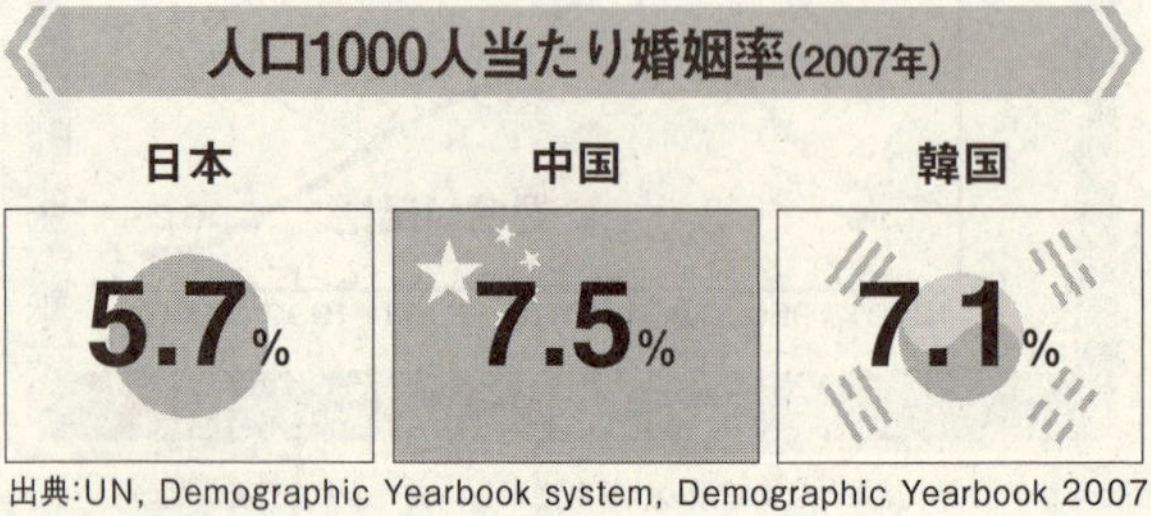

出典:UN, Demographic Yearbook system, Demographic Yearbook 2007

02 結婚費用

バブル時代の日本以上のハデ婚も？ 中国も韓国も結婚式は金に糸目なし

日本の相場を引き離す韓国、中国の結婚式

結婚式といえば人生における一大イベントだが、日本ではバブル崩壊後の1990年代以降、お金をかけない身内だけのささやかな「ジミ婚」が広まった。しかし、韓国や中国では、依然としてド派手な結婚式が健在である。

韓国では、結婚となると、挙式自体の費用のほかに新郎新婦家の双方がおたがいに豪華な贈り物（現金の場合も多い）を交換しあったり、やたらお金をかける。そこにはなんと新郎新婦が購入する新居の費用も含めるため、じつに1億7000万ウォン（約1700万円）にもなる。日本での相場の3倍以上だ。

しかも、招待客でなくても知り合いなら結婚式には顔を出して祝ってあげるという習慣があり、1000人近くもの参列者が集まることも、まれにある。

結婚式は会食まで含まれる韓国

大がかりな結婚式をするのだから、韓国の披露宴はさぞ長くなりそう……と思うところだが、婚前の手続きはいたってシンプルだ。

1時間ほどの儀礼のあと別会場で食事が出されるが、式自体とは切り離されておらず、ここまでが結婚式である。

家のメンツがハデ婚の背景

かたや、中国での結婚式費用の相場は約12万元（約180万

伝統の花嫁衣装とウェディングドレスの、両方を着る人もいる。

円）ともいわれるが、北京や上海のような大都市の裕福な層では56万元（約900万円）にもなる。日本でもめずらしいほどの豪華さだ。

中国と韓国に共通するのは、記念写真にやたらお金をかけること。中国では、専門の写真館で、月給分以上もの金額をかけて撮影する人も多い。また、韓国とは対照的に、豪華な酒宴が行なわれるのが王道だ。さらに最近では、リゾート地など、旅先で挙式するカップルも増えている。

両国の豪華な結婚式の背景には、「結婚式とは新郎と新婦の親族が家の権威を示す場」という暗黙のテーマがある。都市部に住む資産家のなかには、息子や娘の結婚式に出費を惜しまない者も多いという。

とはいえ、世の中は富裕層ばかりではない。やっぱり中国、韓国でも身内だけのささやかな結婚式を好む人もいる。結婚式が家よりも当人のものになるにつれ、日本と同じように、ジミ婚が増えてくるにちがいない。

結婚費用の総額（新居費用含む）

日本	中国	韓国
540万円	56万元（約900万円）	1億7,000万ウォン（約1,700万円）

出典：「RecordChina」ほか

恋愛・結婚

03 セックス

日本人はやっぱりセックスレス。男女の仲は不自由なほど進む？

日本人は男女関係には消極的

日本のカップルはセックスレス――実際に数字を見ると、1カ月の性交回数は、日本では男性が3・4回、女性が2・9回、中国では男性が5・2回、女性が3・9回、韓国では男性が5・6回、女性が5回。たしかに少ない。

医学的な見地からは、セックスレスの原因はいくつか挙げられている。

まずは毎日の仕事などがいそがしいという事情。身体的な理由では、男性のED（勃起《ぼっき》不全）や、女性の性交疼痛《とうつう》症（性交に身体的な不快や痛みがともなう）、膣痙《ちつけい》、さらに精神的な理由では、性欲低下、性嫌悪症などだ。

残念ながら日本の男女は、引っ込み思案であるか、我慢してセックスしたらイヤな思いをして、そのまま気が乗らなくなってしまう人が少なくないようだ。

中国と韓国の性道徳とそのホンネ

ちなみに、単純な回数は、日本より上の中国では、恋人に許される関係にセックスを挙げる人は約31％にとどまり、純情というか身持ちの堅い人も多い。もっとも、一方では「一夜限りの情事」をアリだとする人も19％いて、男女関係に積極的かは人それぞれのようだ。

儒教文化のため韓国では性道徳にきびしい。その反面、２００４年に性売買規制の特別法が施行されるまで売買春は広く行なわれていたし、韓国性科学研究所によると、買春男性への反撃のように、近年は「夫以外の男性と性関係をもってもよい」と考える女性が約62％におよぶ。

先進国で自由の多い日本のほうがいっけん性にオープンなようだが、案外、中国や韓国ではタテマエ上の性道徳が強く残っているぶん、逆に男女関係に積極的になる人も多いということなのかもしれない。

月のセックス回数(2009年)

	日本	中国	韓国
男	3.4回	5.2回	5.6回
女	2.9回	3.9回	5.0回

出典:Pfizer Inc調査

04 離婚率

日本を抜いて離婚大国となった韓国。中国でも手続きの簡略化で離婚が増加

離婚への抵抗感は強くても実態は別

儒教の価値観が強く残る中国と韓国では、日本にくらべると、離婚に対する抵抗感はまだまだ強い。各国の意識調査では、離婚を「まったくまちがっている」とする層は、日本では約4%、韓国は約18%、中国では約52%である。

ところが、韓国は、現在では日本以上に離婚率が高まりつつある。

1990年代の中ごろまでは、離婚率は1000人当たり1・5人で、日本より低かった。しかし、1997年のIMF危機以降は離婚率が急増している。これは、リストラされて権威の落ちた夫が増えたほか、安定した生活がくずれたことで表面化した家庭内のトラブルがいろいろあるためだろう。夫婦の考えることは、日本とほぼ同じなのだ。

日本では近年、夫の定年退職後の生活での不和や、老いた親の介護などに直面して「熟年離婚」が社会問題化しているが、これも韓国も同様だという。

手続きの簡略化で離婚率アップ

日本や韓国にくらべると離婚率が低い中国。伝統的儒教精神もさることながら、この理由のひとつに、結婚や離婚の手続きが面倒だったという事情があるのもたしかだ。

実際、２００３年に婚姻法が改正され、離婚の手続きが簡略化されたとたん、離婚率も上昇傾向らしい。

最近の中国の意識調査では、離婚の問題に直面した場合「絶対離婚はしない」という層は約５％にとどまり、「離婚する」という層が約40％にものぼった。離婚をめぐる状況は、より積極的に動く傾向にあるといえる。

中国でも高齢化が進めば、やがて日本や韓国のような「熟年離婚」がブームになるかもしれない。

出典:UN, Demographic Yearbook system, Demographic Yearbook 2007

05 同性愛

同性愛を厳格に否定する韓国。「同志」がゲイの隠語になった中国

男どうしで手をつなぐが同性愛はタブー

中東やアフリカを中心に、世界には宗教的伝統による理由から同性愛を禁じる国も多いが、日本では同性愛を「まったくまちがっている」と考える層は約22%で、国際的には低いほうだ。たしかに、日本はイギリスやフランスのような同性婚こそ認められていないが、女性向けのボーイズラブものなど、同性愛を描いたマンガや映画は堂々と流通している。

一方、韓国では同性愛を認めないと考える人が約45%にもおよぶ。血統を重んじる韓国では、結婚して家族をもたないと一人前とみなされず、異性とつき合わない者への偏見が強いようだ。もっとも、2005年に韓国で大ヒットした史劇映画『王の男』は、タブー視されてきた同性愛を描き、話題を呼んだ。

じつは、韓国の古い世代では、同性愛というわけではないが、「男どうしで仲良く手をつないで街を歩く」といったことも、めずらしくなかったという。

「○○同志」と呼びあう同性愛仲間

かつて、中国共産党の幹部たちは、たがいを「同志」と呼びあっていた。だが、最近はなんとこの「同志」という言葉が、男性でも女性でも、同性愛者どうしで仲間をさす隠語になっているという。

もし「○○是男同志（女同志）」と言えば、「○○さんはゲイ（レズビアン）」という意味に受けとられてしまうのである。これは覚えておいてソンはない。

中国では、現在もなお約62％が同性愛を認めない。しかし、「隠れ同性愛者」はあちこちにいて、一部では男だけ、女だけの秘密の交際クラブをつくったり、インターネットを使って交際相手を探している者も多い。

「同性愛はまちがっている」と考える人の割合

出典：『世界主要国価値観データブック』

恋愛・結婚

06 シングルマザー

中国人の85％以上が未婚の母を否定。だが、韓国はやむなく容認傾向に

急速に進む韓国のひとり親支援

日本では実際に数が増え、抵抗感が薄れつつあるシングルマザー、つまり未婚の母を認めるという人が約21％いる。しかし、中国、韓国では5％台しかいない。男尊女卑の儒教の価値観が根強い中国と韓国では、日本にくらべると未婚のまま子どもを産んだり、バツイチで子どもを育てる女性には、より世間の目がきびしいようだ。

ところが「場合により認める」という層を見ると、日本では約41％に対し、中国では約8％しかいないが、意外にも韓国では約35％もいる。なぜだろう？

じつは、現実問題として日本と同じくシングルマザーがじょじょに増えているからだ。１９９７年のＩＭＦ危機以来、離婚率が増加したことが影響している。政府

による母子家庭や父子家庭への教育費用の給付など、一応の対策はとられているものの、教育費にお金をかける韓国だけに、シングルマザー世帯は親が食べずに子どもを育てるなど、やりくりがたいへんだ。

シングルマザー支援は少子化対策

少子化がどんどん進行していくなか、日本でも21世紀に入って以降、地方自治体やNPO団体によるシングルマザーの就労や子育て支援、母子世帯への住宅提供などが活発になってきた。

この背景には、ヨーロッパのいくつかの国でシングルマザー支援を進めたところ、出生率が上昇したという事例が出たことも影響している。

逆に考えると、中国でまだまだシングルマザーに対する理解や支援が広まらないのは、現在もひとりっ子政策による出産制限が続いていることも関係しているようだ。

「未婚の母を認める」という人の割合

日本	中国	韓国
20.5%	5.5%	5.1%

出典：『世界主要国価値観データブック』

NORTH KOREA REPORT 05

北朝鮮の恋愛事情

男女はこっそりデートが主流？

風紀にうるさいことにかけては、北朝鮮が中国、韓国よりもはるかに上。男女の学生が公然と手をつないで歩いていたら、それだけで通報されて退学になりかねない。

そこで、北朝鮮の若者のデートでは、男女がしめし合わせて別々に映画館に入り、中で落ち合うなどというやりかたが主流らしい。

当然、未婚の男女のセックスや、不倫などもってのほかである。なにしろ、一定の地位に就いている人間でも、もし不倫がバレたり、妻以外の女性を妊娠させると、クビになって地位を失うのだ。さまざまな外国製品のなかでも、とくにコンドームなどの避妊具は重宝されている。

もっとも、仕事の合間や慶事、祭事のおりに、周囲の目を盗んでいちゃつく男女もいる。規制がきびしければ、抜け道を探す者も出てくるのだ。

データ 06

日本・韓国・中国の

娯楽

楽

「日本解禁」で成長する中・韓の娯楽

文学でも映像でも音楽でも、今やアジアでは国境を越えて消費されるのが当たり前となっている。

●政・官界も認める? 日本のメディア文化

現在では、日本の文学、音楽、映画、テレビドラマ、漫画、アニメ、ゲームなどのエンターテインメントは、中国、韓国のみならず、世界中で支持されている。

こうしたなか、政府からも日本の映像文化産業の保護育成を唱える声が高まり、2009年には文化庁による「国立メディア芸術総合センター」建設の計画がもち上がった。しかし、おりからの財政難もあり、計画は撤回されてしまった。

日本のエンターテインメント産業は、高度経済成長期を経て世の中が豊かになり、余暇の需要が高まっていった1960〜

70年代から発展した。現代は円熟期ともいえる。

だが同じ時期、中国や韓国では、まだ言論や表現の自由に制限が多く、外国の映像作品や出版物もごく一部しか入ってこない、いわば文化鎖国状態だった。この差は大きい。

中国や韓国のエンターテインメント産業が日本の後追いのように見える背景には、こうした歴史も関係している。

国産作品がまだ成長過程の中国

中国のエンターテインメント産業は、長らく、台湾や香港、そして日本からの移入品（海賊版を含む）が多く、国産オリジナルの作品や表現者はなかなか育たなかった。

それでも、海外で高く評価された映画『レッドクリフ』の監督ジョン・ウーや多くの歴史劇を書いている武侠《ぶきょう》作家の金庸《ジンヨン》など、香港出身者はすでに有名になっている。

海外でも通用する作品や表現者が育ちにくい背景には、国内ではまだまだ、文学、映画、音楽などのジャンルを問わず、作品内容が風紀を乱す、政府の方針にそぐわない、といった表現への規制がきびしいという事情もある。

しかし一方では、政府みずから海外でも通用するエンターテインメント作品の育成を進めている。２００６年には国産アニメの振興をうたった国務院32号公文書が出され、アニメ関係の人材を育てるための資金や法制度の整備が行なわれた。

その反面、本当に自分の表現したいものがある者は、表現に不自由のある中国を飛び出して活動している。

たとえば、自主製作の作品をヴェネチア映画祭などに持ち込んだ映画監督の唐暁白《エミリータン》や周耀武《チヨウヤオユー》は、海外でも評価が高い。

今後は、ゲリラ的な表現活動を行なう中国人クリエイターから、政府が予期しない意外な傑作が生まれるかもしれない。

日本作品が禁止されていた韓国

楽

爆発的な人気をほこった男性グループ東方神起や、有名ドラマ『冬のソナタ』のヒットで、日本で韓流エンターテインメントが定着して久しい。この分野での韓国と日本のかかわりは、さかのぼってみると、かなり古くからはじまっている。

たとえば1960〜70年代に活躍した韓国人プロレスラー大木金太郎（金一）は、日韓の双方で人気選手となった。また、80年代には、日本でも、韓国の人気歌手チョー・ヨンピル（趙容弼）の「釜山港《プサンこう》へ帰れ」が大ヒットしている。

じつは韓国内では、65年の日韓国交樹立以降も、長いあいだ日本の映像作品や出版物などを楽しむことは禁止されていた。過去の日本による占領統治への反発のためだ。ただし、海賊版メディアで日本の映画や漫画をコッソリ楽しむ人は多かった。

日本文化が全面的に解禁されたのは、やっと98年のことである。現代の韓国エンターテインメントの個性には、こうした不自由との衝突から育まれた部分も大きいだろう。

娯楽

01 ベストセラー

日本文学など海外ものが大人気。中国、韓国のベストセラーとは？

国を超えて読まれるベストセラー

本が売れない時代だが、それでも年に数冊はミリオンセラーが現われる。日本では村上春樹の長編小説『1Q84』がベストセラーとなった。村上は、ノーベル文学賞候補に名前が挙がるなど国際的にも評価が高い。韓国でも翻訳版が刊行され、2009年の年間ベストセラー第2位となった。2010年には中国語版も登場し、やはり話題となっている。

さて、韓国での09年のベストセラー1位は、シン・キョンスク（申京淑）の『母さんをお願い』だ。失踪《しっそう》した母親をめぐる家族小説である。

シンは1990年代以降の韓国を代表する人気の女流作家で、日本語訳された作品も少し刊行されている。

このほか近年の話題の書も旅行家ハン・ビヤの『それは愛だった』、クォン・ビヨンの『徳恵翁主　朝鮮最後の皇女』など、女性作家の活躍が目立っている。

中国でアメリカの本が年間2位に！

最近の中国では、海外の書物がちょっとしたブームになっている。

09年のベストセラー2位となった『不抱怨的世界』は、アメリカの牧師ウィル・ボウエンによる人生論の実践書『もう、不満は言わない』の中国語版である。

そして1位は、朱鎔基《しゅようき》元首相の発言をまとめた『朱鎔基答記者問』だ。同書が注目を集めた理由には、朱元首相の軽妙な語り口もさることながら、これまで未発表だった外国の記者に対する発言が多いためだという。

中国では、トップの言葉、それも「海外に何を言ったか」に対する関心が高まっているらしい。

年間ベストセラー（2009年）

日本	中国	韓国
『1Q84』（第1巻）、（第2巻）	『朱鎔基答記者問』	『母さんをお願い』

出典：卓越亜馬遜網、当当網ほか

娯楽

02 人気アイドル

アイドルを「お兄ちゃん」と呼ぶ韓国。しかし、10代でファンは卒業すべし！

オバちゃんのアイドルファンは日本のみ？

日本でもっとも有名な韓国人といえば、ひと昔前は韓流スターのペ・ヨンジュンだった。しかし近年は、惜しまれつつも活動休止となったアイドルグループ東方神起であろう。活動期間は約5年とけっして長くはなかったが、オリコンチャートで1位を獲得するなど、熱狂的なファンを獲得した。活動休止後も、それぞれのお気に入りのメンバーを追い続けている日本人女性は多い。

韓国からの輸入とは逆に、日本一のアイドルグループSMAPに替わる勢いで人気急上昇中の嵐《あらし》も、２００６年のソウル初訪問以来、韓国で若い女性ファンを獲得している。

ちなみに、日本では30歳をすぎても平気でアイドルのおっかけをする女性が多いが、韓国ではアイドルに熱中するのは、10代のあいだだけ。男性アイドルは「オッパ（お兄ちゃん）」と呼ばれるためか、ファンのほうが年上になっては、格好がつかないようだ。

中国の新星は長身の歌姫

さて、女性アイドルに目を向けると、韓国のグループ「少女時代」も、日・中両国への進出に乗り気だ。

日本で人気絶頂のＡＫＢ48も、中国、韓国をはじめとするアジア展開を進めている。

また、中国ではオーディショ

惜しまれつつ解散した東方神起。李宇春は、中国期待のトップアイドルだ。

ン番組『超級女声』でデビューした175センチの長身美人、李宇春《リーユイチュン》が人気急上昇中だが、国産アイドルは、男女ともまだまだ少ない。

中国芸能界にある意外な「言葉の壁」

今のところ、中国でメジャーなアイドルには、台湾や香港出身者が多い。女性アイドルでは、台湾のトリオS・H・Eの人気が高いが、最近は香港のコンビ、ツインズも北京のアイドルファンを熱くしているという。

じつは中国では、北京で人気のあるアイドルの多くは台湾系で、香港系は知名度がイマイチという傾向がある。香港では、同じ中国語でも北京語ではなく広東語《カントン》で歌う人が多いからだ。そうしたなか、ツインズはめずらしくも、北京語でも歌うアイドルなのだという。

いやはや、同じ国のなかで言葉がネックになるとは、さすが中国は広い。

代表的なアイドル

日本	中国	韓国
嵐、AKB48	ツインズ	東方神起 少女時代

出典:bdb（ブランドデータバンク）調査ほか

娯楽

03 人気アニメ

日本の作品は大人気なのに規制の対象？中国と韓国でも愛されるアニメ文化

中国と韓国でもっとも普及した日本文化はアニメ

大人から子どもまで誰もが知っている人気アニメといえば、『クレヨンしんちゃん』、『ドラえもん』、『ドラゴンボール』、『名探偵コナン』だ。これは中国、韓国での話である。それぐらい、日本生まれの作品が人気の上位にズラリとならぶ。

日本では尾田栄一郎原作の『ONE PIECE』が、性別・年齢を問わずベストセラーの人気作品になりつつある。いずれ海外でも定番作品に入るだろう。

韓国では、1960年代から日本のアニメが多く輸入されて好評を博している。ただし、表向きは韓国産のアニメということにして、わざわざ劇中の畳の床を韓国風のオンドルに変えるといったこともしているので、『クレヨンしんちゃん』のような有名作品でも、年長者では日本のアニメだとわからない人が多い。

夕食どきは外国アニメを締め出し！

日本アニメが中国に輸入されはじめたのは1980年からだ。最初に放送されたのは『鉄腕アトム』。以後、多くの日本産のアニメが普及している。

しかし、中国は外国文化が流行しすぎることを嫌う。

政府は「国産のアニメ作品を保護育成する」ことを理由に、2006年からは、夕方の時間帯の日本やアメリカのアニメの放送を制限するようになってしまった。

中国、韓国の人気アニメ

『赤ちゃん恐竜ドゥリ』

1980年代に登場したテレビアニメ。マンガ雑誌にも連載され、大人気となった。韓国キャラクター産業のさきがけとされる。

『藍猫淘気三〇〇〇問』

タイトルを日本語に訳すと『いたずらの青猫による3000の質問』。中国ではこのアニメを知らない子はいないといわれる。

中国、韓国の国産アニメは、幼児向けが多い。

じょじょに成長中の韓流・華流アニメ

幅広い層に人気の韓国産アニメといえば、1980年代にはじまった『赤ちゃん恐竜ドゥリ』シリーズで、近年も新作が登場している。『テコンV』シリーズも人気だ。これは日本の『マジンガーZ』に似た巨大ロボットアニメで、韓国の格闘技テコンドーを使うのが売り。

中国では、幼年向けアニメの『藍猫淘気（いたずら青猫）三〇〇〇問』が大ヒットし、主人公のキャラクター玩具《がんぐ》があちこちにあふれているという。また、暴力シーンやラブシーンなどには規制がうるさい中国だが、年長の視聴者向けに『三国志』を放映。さらに、中国と日本のアニメ会社で共同製作した『三国演義』が注目を集めている。

日本のアニメにも、『妖怪人間ベム』など、韓国のスタッフが深くかかわった作品も多い。将来、日・中・韓の共同スタッフによる国際的な作品が登場するかもしれない。

近年の自国産人気アニメ

日本	中国	韓国
『ONE PIECE』	『藍猫淘気三〇〇〇問』	『赤ちゃん恐竜ドゥリ』

出典:bdb（ブランドデータバンク）調査ほか

娯楽

04 ペット

中国でペットといえば犬と金魚。日本以上に小型犬が大人気な韓国

歴史的な風流文化を反映した中国のペット

ペットといえば多くの人が連想するのは、おそらく犬だろう。たしかに、三国ともに一番人気のペットは犬だ。

近年の日本では、可愛がっていたペットが死んだために心身ともにやつれて、気分がふさぐなどの「ペットロス症候群」になる飼い主もいる。中国でも最近は「ペットは家族」と考える人が約44％にもおよぶ。

その中国で、犬についで人気なペットは魚だ。そもそも中国は、金魚発祥の地である。金魚の原種はチイというフナの一種が突然変異で赤くなったもので、品種改良され、3～5世紀の晋朝の時代から飼われるようになった。その後、中国大陸ではさまざまな金魚が生まれ、王侯貴族や趣味人などに愛でられてきた。いわば、カ

ラフルな魚を眺めて楽しむのは伝統文化だったのだ。さらに近年は、熱帯魚の人気も高まっている。

もっとも、中国では経済開放政策が導入されるまで、ペットはぜいたく品だった。魚などお金がかからない小さな生き物が人気なのは、その名残のようだ。

日本以上に犬派が強い韓国

日本では、飼われているペットの1位は犬で約26%、2位は猫で約15%、3位は鳥類で約5%、以下、ハムスターやうさぎが挙がる。

なお、韓国で人気ペットの1位に挙がるのは子犬で、61%と圧倒的な人気をほこる。2番目はハムスターが17%、3番目は猫が9%で、猫派は日本より少ない。

韓国は、都市部では集合住宅が多いからか、チワワのような室内で飼える小型犬が好まれる。犬についでハムスターが人気なのも、小さくて場所を取らないためのようだ。

人気のペット

日本	中国	韓国
1位：犬	1位：犬	1位：犬(子犬)
2位：猫	2位：魚	2位：ハムスター
3位：鳥	3位：猫	3位：猫

出典：朝日大学マーケティング研究所、サーチナほか

娯楽

05 カラオケ

日本より普及した庶民の娯楽。韓国の「ノレバン」と中国の「KTV」

韓国で「カラオケ」は、パブ!?

1曲歌って拍手喝采《かっさい》、というカラオケは、今やアジア各地に普及している。カラオケ発祥の地・日本では、平均して年10回はカラオケに行く。

ところが、中国では月1~2回という人が60%近くをしめ、さらに韓国では2週間に1回カラオケに行く人が大多数だ。

日本以上にカラオケ好きが多い中国と韓国では、いずれも二系統のカラオケ店がある。接客ホステスがいて料金も高いパブのようなおとな向けの店と、学生や家族づれが気軽に行くカラオケボックスのような店だ。ある意味、日本と似ているが、韓国では「カラオケ」というと、前者をさす場合が多いという。

一般的なカラオケボックスは、「ノレバン(歌房)」と呼ばれる。ソウルの繁華街などでは、日本の歌謡曲も豊富に入った気軽に行けるノレバンも少なくない。

「親子でカラオケ」も多い中国

中国のカラオケ店は、おとな向けの高級店も、一般的なカラオケボックスも「KTV」で通っている。日本の曲がそのまま入っている店は多くないが、香港や台湾経由で、日本の歌謡曲を中国語にカヴァーした曲は、かなり多い。たとえば、谷村新司の懐メロ『昴《すばる》』は、『星』という曲名でヒット。上海万博の開会式では、谷村本人が歌った。

ちなみに、日本ではカラオケというと、友だちや恋人、仕事仲間で行くことが一般的だが、中国では、そうした面々のほか、親といっしょに行くという人も多い。

カラオケが家族コミュニケーションの道具のひとつというのもユニークな感覚だ。中国を見習って、たまには父親や母親と、カラオケに行ってみるのもいいかもしれない。

カラオケに行く回数の最多割合

日本	中国	韓国
年10回	月1～2回	2週間に1回

出典：「レジャー白書　2006」ほか

娯楽

06 人気スポーツ選手

MLB、NBAでもアジア旋風！ 国境を越えた英雄が海外で大活躍

日本にはない、韓国スポーツ選手の悩み

東アジアの人気スポーツ選手は、国際的な舞台で活躍するプレイヤーばかりだ。日本では、世界最高の野球選手のひとりといえるイチローがダントツ人気。近年は、全英オープンゴルフに進出した石川遼への注目度が急上昇中。女性ではバンクーバー五輪で銀メダルを獲得したフィギュアスケートの浅田真央が突出している。その浅田真央との対決で金メダルを手にしたキム・ヨナは、韓国で圧倒的な人気をほこる。また、男性ではワールドカップ南アフリカ大会で、サッカー韓国代表の主将をつとめた朴智星《パクチソン》が挙がる。野球では、イチローと同じマリナーズに属したこともある秋信守《チュシンス》が注目されている。

だが、韓国のスポーツ選手には、日本人にはない悩みのタネがある。それは「徴

兵のための活動中止」を迫られる場合があるのだ（功績をあげれば徴兵免除もあるが……）。

中国のヒーローはNBAの巨人

一方、中国では、日本や韓国と重ならない競技のプレイヤーが人気をほこる。筆頭はプロバスケットボールのNBAで活躍する姚明《ヤオミン》、身長はなんと229センチ。2004年のアテネ五輪の陸上110メートル障害で金メダルを獲得した、劉翔《リユウシヤン》も大人気だ。また、国技の卓球では、日本の福原愛が参戦し、中国でも人気を集めている。

ヨーロッパやアメリカ大陸にくらべ、体力的に劣ると見られているアジアのスポーツ選手は、海外で大きな業績を挙げると、すぐに注目度が高まる。これは三国とも同じだ。

アジア全体のスポーツのレベルは高まっており、今後も意外なジャンルから、海外の大会などをきっかけに人気選手が現われることもありえる。

人気スポーツ選手

日本	中国	韓国
イチロー（野球）	姚明（バスケット）	キム・ヨナ（フィギュアスケート）

出典:中央調査社「第15回　人気スポーツ調査」ほか

娯楽

07 ワールドカップ

世界を驚嘆させたベスト4の原点は、50年以上前の日韓戦？

2度目のベスト16を果たした日本代表

サッカーワールドカップでの実績は、韓国が突出している。2010年までの成績を見ると、最高順位は02年の日韓共同開催大会での4位、出場回数は1954年のスイス大会以来の8回で、アジアではもちろん最多だ。

韓国代表の選手は、02年の日韓大会に参加したホンミョンボ（洪明甫）や、10年の南アフリカ大会にも参加したパク・チソン（朴智星）など、日本のJリーグで活躍した選手も少なくない。その韓国を最大のライバルと位置づける日本の最高成績は、中田英寿らが活躍した日韓大会と、10年の南アフリカ大会のベスト16だ。アジア予選で苦しむことも多いが、98年のフランス大会から4回連続で出場している。

これに対し、中国はいまだ日韓大会での1次リーグ敗退以上の結果もなく、出場回数はこの1回にとどまっている。

ちなみに、南アフリカ大会で有名になった、大音響を放つ応援用の民族楽器「ブブゼラ」の9割は、中国製だったとか。

国威がかかっていた1954年の日韓戦

あまり知られていないが、日本のJリーグの開幕より10年も早い83年に、韓国ではスーパーリーグ（のちのKリーグ）が開幕している。韓国サッカー界も、昔から日本への対抗心が非常に強い。

まだ日韓の国交が正式に回復していなかった54年、スイス大会予選で日本と韓国が対戦したときは、5対1で韓国の勝利に終わったが、当時の大統領・イ・スンマン（李承晩）は代表チームに「負けたら玄界灘《げんかいなだ》に身を投げろ」と言ったといわれる。韓国人のサッカーへの情熱は、このときの勝利で一気に勢いがついたのかもしれない。

サッカーワールドカップ最高成績

日本	中国	韓国
ベスト16（2002年/2010年）	1次リーグ敗退（2002年）	4位（2002年）

出典:FIFA統計ほか

NORTH KOREA REPORT 06

北朝鮮のサッカー

〜勝てば英雄、負ければ強制労働？〜

ワールドカップ南アフリカ大会では、予選リーグで敗退してしまった北朝鮮。だが、かつてベスト8にまで進出したこともあった。

1966年のイングランド大会のことだ。北朝鮮チームは世界的にはまったくの無名だったが、強豪のイタリアを下し、一気に注目を浴びた。この当時のエース選手には、なんと朝鮮労働党から高級外車のベンツと、平壌の豪華マンションが贈られたという。

さて、敗退した南アフリカ大会の出場選手たちは、帰国後どうなるのか？　海外メディアでは、懲罰として強制労働に送られてしまうのではないかと危ぶむ声もあった。

だが、選手はワールドカップ出場を果たしただけで十分にねぎらわれていた。高級車を贈られたり、平壌の戸籍をもらった者もいる。

働

データ07

日本・韓国・中国の

仕事

働

非正規雇用者が支える東アジアの企業

日本、中国、韓国とも低賃金で長時間働く非正規雇用者が増えているのは同じ。労働者にはツライ状況だ。

●正社員もラクではない日本

一生同じ会社がめんどうを見てくれるという終身雇用が崩壊し、日本ではリストラや転職はめずらしくなくなっている。失業率は5％台で変わらず、平均賃金も一部の高給取りが押し上げているのが実態。昇給どころかボーナスカットで年々下がっており、日本の労働環境は悪化の一途をたどっている。

さらに、どこの企業も正社員の採用には慎重になってきた。一部では、せっかく採用された学生が、その後の景気動向の悪化を受けて企業から一方的に内定取り消しを通告されたり、入社してすぐにクビを切られるという事態も起こっている。

さらには、「派遣切り」も当然のごとく定着し、正社員ですら安泰でないという状況である。２００８年に起きたアメリカの金融危機以来、ＥＵでは失業率が２桁の国も少なくない。日本の雇用状態は、先進国のなかではまだマシなほうだ。

しかし、低待遇でも我慢して働いている人たちにも限界が近づいている。

人口世界一でも労働力不足の中国

急速な経済成長を続ける中国だが、都市部の発展は低賃金で働く大量の労働者によって支えられている。彼らの大部分は、農民工と呼ばれる農村部出身の出稼ぎの人間だ。

農民工の多くは学歴もなく、昇給の機会も乏しいまま長時間の労働を強いられている。かつて高度経済成長期の日本でも、中卒で都会に集団就職する労働者が多かったが、社会保障が整備されていない状況を考えると、さらにきびしい状況である。

また、中国では、日本や韓国にあるような女性の結婚や出産による退職が少ない。じつは、家政婦を雇うというのが一般的なのだ。このあたりは、日本や韓国よりも欧米に近いスタイルが確立しているのかもしれない。

経済発展のおかげで農民工の賃金も右肩上がりで伸びてはいるが、別の問題が浮上している。なんと、世界1位の人口をほこる中国でも、地域によっては労働力不足が起きているのだ。

農民工には都市部の戸籍が与えられないため、長期間都市部に居着かず、働くだけ働いたら地元に帰ってしまう人が多い。また、より賃金が高い地域があれば、そちらに移ってしまう。このため、とくに経験のある熟練労働者は不足している。

安定した労働力をどうやって確保するかは、今や中国に進出した日本企業にとっても大きな課題なのだ。

残業大国の韓国ではワーキングプアも

働

自動車、ＩＴなど多くの分野で、韓国の企業は日本などの先進国と肩をならべ、また上に立つようになっている。それを支えているのは、長時間の残業に耐える多くの労働者だ。

韓国のひとり当たりの年間総労働時間は日本や欧米にくらべると、３００～５００時間も長い。まったく残業大国である。

同時に、そんなきびしい労働環境ゆえか、韓国ではやたらと労働組合の活動が過激だ。日本では賃上げ要求が話し合いで片づくことも多いが、韓国では、労働者が納得しない待遇だと、経営者に対して派手な抗議が行なわれることも多い。

最近は、低収入のため生活の苦しいワーキングプアが増えており、こうした層に公共機関が当面の生活保護を支給しながら、就労支援を進める制度が普及してきている。

日本では、収入があると生活保護は受けられず、低賃金で働くか、働かずに生活保護を受けるかの極端な二者択一だ。この点、韓国のやりかたは労働者にやさしいのかもしれない。

仕事

01 失業率

成長中の中国でも大卒就職率は70％。ニートの増加も日本にソックリ！

就職難で「大卒余り」に直面する韓国

２００８年の金融危機以来、日本の失業率は5％を超えたままだ。多くの企業は正社員の雇用を控え、仕事がない若者が街にあふれている。

韓国も、とくに若い世代の就職難は深刻だ。もっとも、大学進学率の高い韓国では「せっかく大学を出たんだから、大企業じゃなきゃ就職したくない」と言って高学歴就職浪人となる人もいるらしい。そのため、これも日本同様に、大学で就労体験や職業訓練のカリキュラムを組み込むなどの就職支援が導入されている。

一方、経済成長中の中国でも、まだ新卒者数に企業の募集数が追いついていないため、大卒余りの状態だ。企業と学生の希望が一致しないというケースも多く、中国の大卒者の就職率は70％程度で、日本と同様の「ニート」も増えているという。

また、中国の失業率は約4%とされているが、これは額面どおりに受けとれない。不都合な情報は隠す傾向にあるうえ、労働人口が多く、企業の浮き沈みもはげしいため政府自体が実態を把握できていない可能性があるからだ。

実態はナゾも多い中国の真の失業率

じつは、中国で公表されている失業率は、都市戸籍がある者のみが対象だ。したがって「農民工」と呼ばれる農村部出身の出稼ぎ労働者は含まれない。農民工はかんたんにクビを切られることも多く、一説によれば「2億人以上」ともいわれる彼らを含めた失業率は、約9%にもおよぶと海外では推定されている。

中国では1999年から民間企業にも失業保険が広がり、加入者はすでに1億人を超えた。支給額は都市部と農村部で2倍以上もの差があるが、近年は各地で受給者が急増しているという。

日本	中国	韓国
5.3%	**4.3%**	**3.2%**
(就業人口6295万人)	(就業人口7億7480万人)	(就業人口2386万人)

出典:『ブリタニカ国際年鑑　2010』

02 月収

日本の給与は韓国の1・5倍、中国の10倍以上。でも、生活苦は変わらず

客がいない時間帯は無給に!?

隣国の人が給料をいくらもらっているか、その内実は職種や地方で大きく異なる。たとえば、製造業の平均賃金は、日本は29万３４００円、中国は２０１６元（約２万６３５２円）、韓国では２７５万７８００ウォン（約19万３０４６円）だ。

しかし、最近の日本では、派遣社員やアルバイトなどの非正規雇用者の収入が生活保護の水準と変わらないワーキングプアも少なくない。

韓国でも若い世代のあいだには、悲惨な非正規雇用者が増えている。たとえば、ファミリーレストランでは、客が減った時間になるとアルバイトを店の外に出してそのあいだの時給は支払わない、といった話がある。

中国でも同様で、経済が発展している北京でも、大卒の初任給と出稼ぎの農民工

で年収は3倍ほどもちがうという。こうなると、平均的な収入はわからなくなるのだ。

共産党幹部の会社役員は給与と別に散髪代を支給

もちろん、業種によっては基本給のほかに各種手当がついたり、逆に福利厚生や社会保障のための費用として、大幅な天引きが行なわれる場合も多い。

とくに、国有企業の役員などをつとめる共産党の幹部は、かなり優遇されている。

なかには「散髪手当」や「肉手当」などという、やけに細か

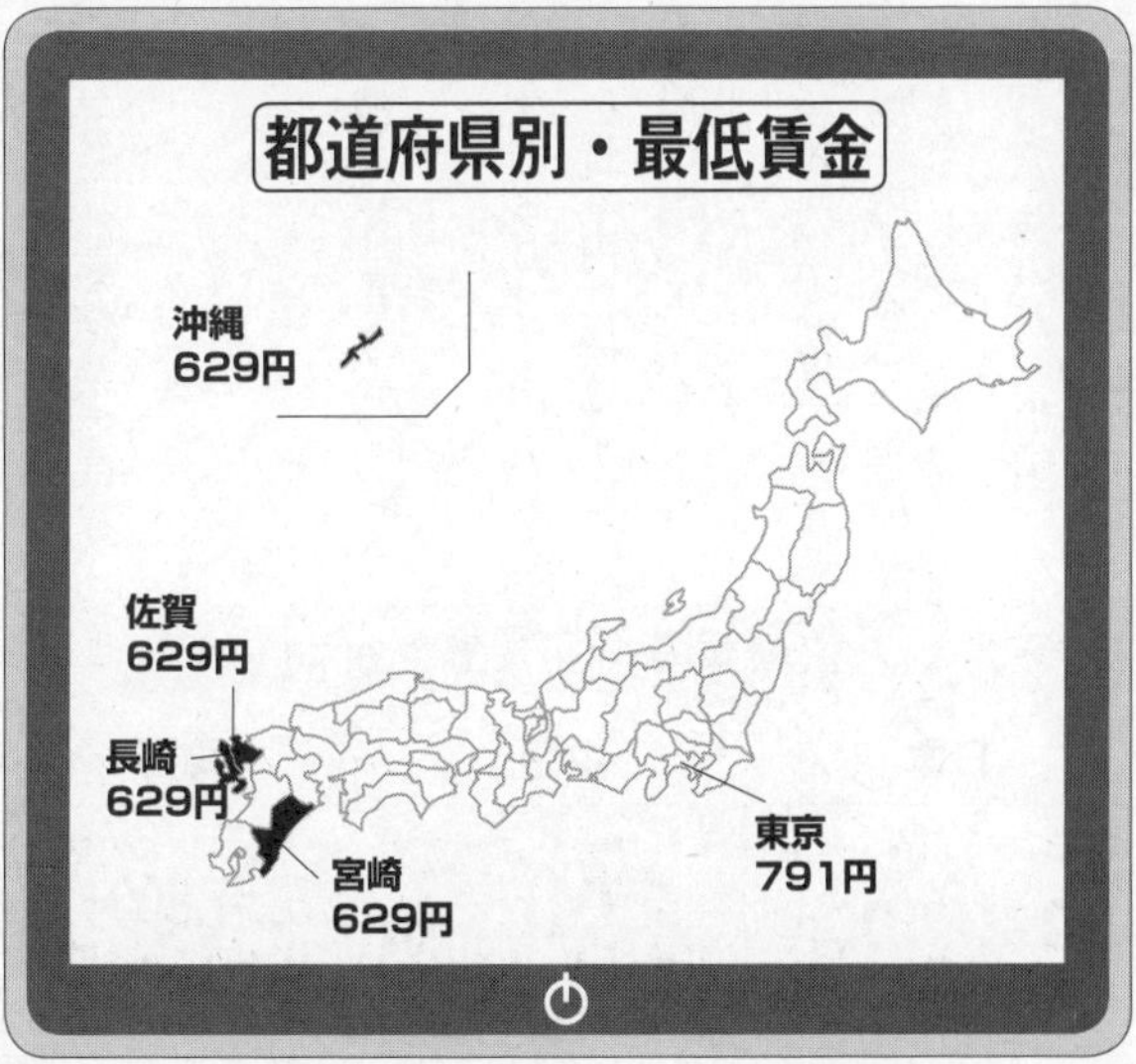

最高額の東京と最低額の沖縄など4県には、160円以上の差がある。

いものまで支給されている。

一方で、地方出身の労働者を多数抱える一部の企業では、悪質な給料のピンハネも横行している。

最低賃金では生活できない？

ちなみに、法定の最低賃金は、日本は全国平均が時給703円、月収なら約12万円となる。

中国では北京市の場合、月給800元（約1万2千円）だ。

韓国は、時給4000ウォンで、月給を日本円に換算すると約7万円となる。さすがに、これだけで暮らしていくことはできない。

おおむね、先に挙げた製造業の平均賃金の半分以下だ。日本の住居費や光熱費、食費などの相場を考えると、生活してゆくにはギリギリの金額といえる。

日本では最低賃金を上げるべきとの声が強いが、中国、韓国でも同じなのだ。

製造業の平均賃金（2008年）

日本	中国	韓国
29万3,400円	2,016元（約2万6,352円）	275万7,800ウォン（約19万3,046円）

出典：ILO, LABORSTA Internet

仕事

03 就職

とにかく高給志向の強い中国。日本以上に職の安定を求める韓国

中国、韓国より「やりがい志向」な日本

不景気に陥ると、日本では就職先に安定を求める人が多くなる。実際、就職先に対し、約35％が安定成長する企業であることを望んでいる。とくに景気の先行きが不透明な状態が続くなか、終身雇用制度の見直しが進み、派遣社員やアルバイトが増えている近年は、この傾向が相当強いといえる。

ついで重視されるのは、職場の人間関係で約26％。日本の企業は集団主義的で、個人の意見より場の空気が重んじられることが多いためだろう。職場でのいじめや上司のパワハラも問題になっていることも影響しているようだ。

日本で3番目に重視されるのは「達成感のある仕事」の約24％。つまり、やりがいだ。豊かな先進国では、給与より人間関係や仕事のやりがいを重視する傾向があ

働 仕事

る。だが、中国、韓国ではこれを挙げる人は日本の半分程度しかいない。

「安定こそ第一」な韓国

韓国もいちばんに求められるのは職場の安定。これを挙げる人は日本より多く、約57％におよぶ。もともと、韓国の大企業では同族経営が多い。

　つまり、就職には血縁などのコネの有無が大きく影響する。安定した職に就くのはたいへんなのだ。安定の次に重視されるのは高い給与である。

　とはいえ、韓国では職場の人

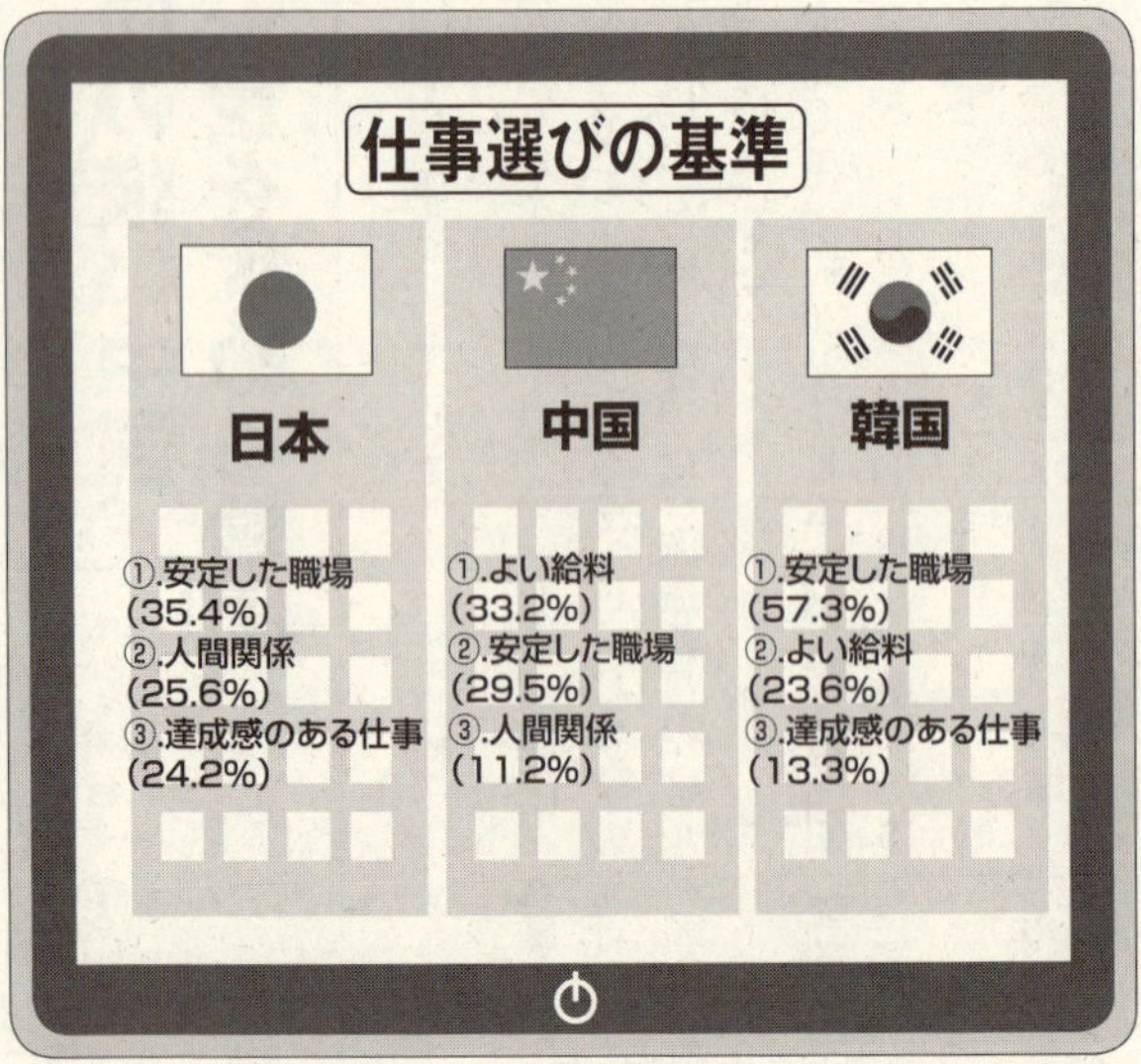

世界的な不況を反映してか、いずれも職の安定を求める人が多い。

間関係に無関心なのかというとそうでもない。韓国は日本とちがい、重要な場では集団の空気より一対一の関係を重視するのだという。

第一に高給を挙げる現代中国人

一方、中国では就職先の条件に約33％の人がまっさきに給料の良さを挙げる。さすが、経済成長中の国だ。ここ10年の賃金上昇率は好調だが、消費者はまだまだほしいものがたくさんある。より高給を求めるのも無理はない。

日本は消費が冷え込んで久しいが、中国で「八〇后《バーリンホウ》」（1980年以降の生まれ）と呼ばれる若い世代は、バブル期の日本のごとく、車や高機能の家電製品、ブランド品などにバンバンお金を使う。ここにも勢いが感じられる。

それでも2番目に重視されるのは職場の安定で、約30％がこれを挙げる。経済成長の反面、企業間の競争が激化しているためだろう。

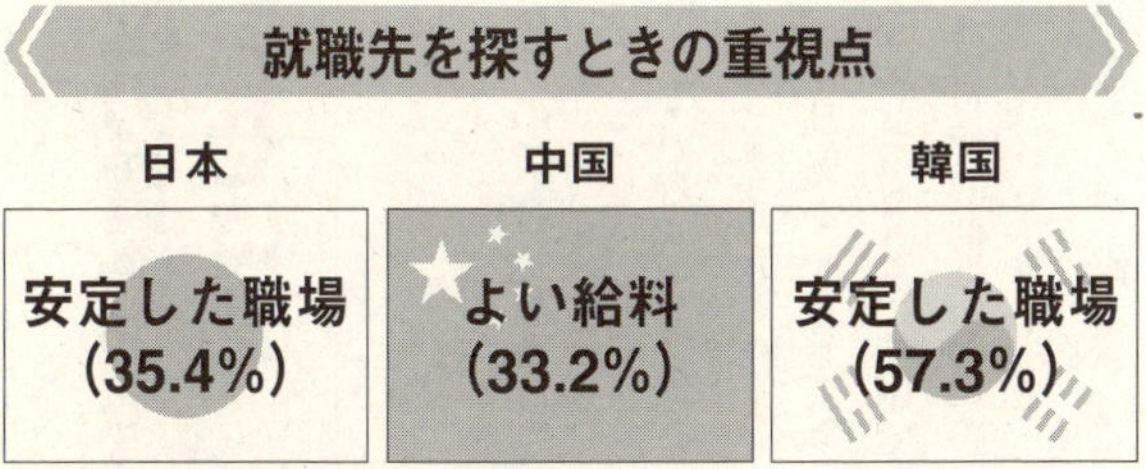

出典：『世界主要国価値観データブック』

働
仕事

仕事

04 賃金上昇率

年10％以上と勢いよく増える中国の賃金。だが、やがてそれが経済成長の足かせに？

明暗が分かれた日韓の２００２年

悲しいことに、日本の賃金上昇率は低迷している。２００６年の賃金上昇率は、日本はわずか１・３％、中国はじつに14％、韓国は５・５％だ。

21世紀を迎えて以降、日本の賃金上昇率は何度か１％を下回っている。２００２年にはなんとマイナス１・２％と前年より落ちてしまったこともあった。

これとはまるで対照的に、２００２年の韓国の賃金上昇率は、11・９％を記録した。しかし、この数年前、韓国はＩＭＦ危機で賃金はどん底となり、立ち直りの途中でワールドカップ景気が重なったようだ。同年のワールドカップは日韓共催だったのに……。日本には運がなかったのか？

ともかく、日本は今や世界屈指の人件費がかかる国となってしまった。代わりに、より人件費の安い中国の企業が伸びることになったのだ。

かつての日本と同じ立場の中国

経済成長の続く中国は、さすがに２００９年だけは前年に起こったアメリカ発の世界的な金融危機の影響で一時的に低下したものの、賃金上昇率は前年比10％以上を維持している。

労働者は、まさに働けば働くだけ金になるという状況だ。だが、逆にいえば、もともとの賃金が非常に安く、給料が上がる余地はおおいにあったともいえる。

ところが、これがしだいに中国経済の足かせになりつつある。せっかく安かった中国の人件費が上がれば、中国に進出している海外企業は、ベトナムやタイなどより人件費の安い国へ移ってしまうのだ。

皮肉にも、今の中国は、高給取りが増えることで、かつての日本と同じ立場になりかけているのである。

製造業の賃金上昇率(2006年)

出典：『世界の厚生労働　2009』

05 女性の社会進出

男女同等の賃金が当然の中国。働く女性を支えるのは「アイさん」？

女性が働くのは当たり前な中国

じつは、女性の社会進出は、いっけん日本や韓国に経済面で後れをとっていたように見える中国のほうが上だ。

就業人口にしめる女性の割合は、日本は約42％、日本より男尊女卑的といわれる韓国も日本とほぼ同じ。しかし中国は46％と、わずかながら両国を上回っている。

そもそも中国では、１９４９年の国の成立後から女性を労働力とみなしてきた。工場の労働者や商店員はもとより、バスの運転手、大手企業の管理職や技術者まで、あらゆる業種で、女性が男性と同額の賃金で働いているのだ。しかも、日本や韓国では、30歳前後になると結婚や出産のため仕事を離れる女性が多いが、中国ではそのまま働き続けて管理職になる女性も多い。

こうした労働スタイルを陰から支えているのが、外で働く女性の家事を代行する家政婦、つまりはメイドさんの存在だ。中国では、リーズナブルな家政婦業者が多い。

ある程度以上の収入がある世帯では、共働きの夫婦の代わりに家事を行なう家政婦を雇うのが当たり前なのだ。

北京に「メイドさん学校」が出現？

中国の家政婦は「阿姨《アイ》さん」と呼ばれ、その多くは農民出身の出稼ぎ労働者だ。とはいえ最近では、家事や子どもの世話、家のお金の管理などで、専門的な知識が必要になる場合も多い。

そこで、2002年に設立された北京富平《フピン》学校では、家政学や教育学など広い教養をもつ家政婦の育成をはじめた。

もっとも、高級すぎて敬遠されてしまうのか、残念ながら高学歴家政婦の需要は、今ひとつらしい。いっそ、メイド学校として日本に輸出してはどうか？

就業者の男女比（2008年）

	日本	中国	韓国
男	58.4%	53.6%	58.1%
女	41.6%	46.4%	41.9%

出典：『中国年鑑2010』『世界の厚生労働2009』ほか

06 ストライキ

中国はストライキ全面禁止のはず。しかし、労使の衝突が年間数十万件！

最近まで「労働法」がなかった中国

もともと社会主義国家だった中国は、今や世界でも有数の「労働者が不満を抱える国」になりつつある。たとえば、2005年の労働争議発生件数は31万3773件、参加者数はじつに74万4195人だ。この数はますます増えている。

原因は、一方的なクビ切り、給与の不払い、雇用契約の不履行などさまざまだ。日本の労働者なら、一致団結してストライキになることもある。実際、昭和の時代には、鉄道会社のストで電車が止まることも何度かあった。ところが、中国ではこれがいっさい許されない。ストライキも職場放棄も、れっきとした刑事罰の対象になってしまうからだ。

そんなわけで、労働争議が起こると、まずは企業内での話し合いで調停をはかり、最終的には裁判に持ち込まれる。約半数の争議は労働者側が勝訴しているが、労使の折り合いがつかずにトラブルが長期化することも多いようだ。

なお、08年に中国ではじめて労働者を守る「労働契約法」が成立した。

逆にいえば、これまでの中国には労働法がなかったのだ。これも驚きの事実である。

ストライキはまだまだ健在の韓国

一方、韓国での労働争議の件数は2006年には138件、中国の2000分の1以下だ。韓国でも派手なストライキや労働者のデモはまだ多いが、皮肉にも、これは民主国家だからできる行為なのである。

日本の労働争議件数は、韓国のさらに3分の1の46件と少ない。争いの絶えない中国にも、日本のような安定した労使協調が定着する日がくるのだろうか……。

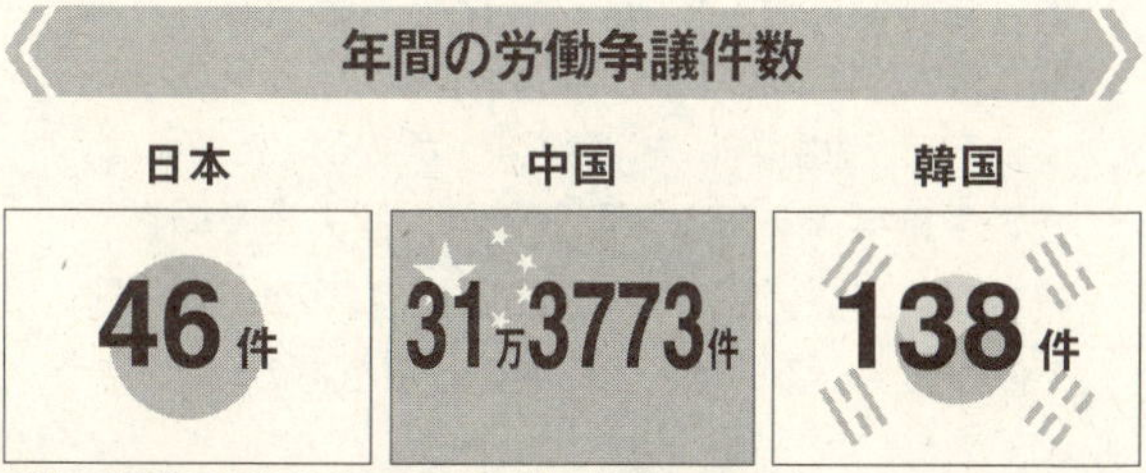

出典：『世界の厚生労働　2009』『中国年鑑　2010』

NORTH KOREA REPORT 07

北朝鮮の 労働者

あちこちにいる軍人労働者

建設現場でも地方の農場でも、北朝鮮では軍隊の制服を着た人たちが汗を流して働いている。そう、労働の現場に軍隊が動員されているのだ。

地方の駅では、軍服を着たおじさんが、疲れた顔をして村の子どもに交じって列車を待っているような風景もめずらしくない。また、本来の労働者も軍服を着ていることが多い。軍隊のほかに、突撃隊と呼ばれる青年団のような組織が工場や建設現場などに動員されているのだ。

鉄道や道路などの交通機関で働く者も、軍隊のような制服を着ている。外国人から見ると、労働者と軍人の区別がつかないだろう。

一方で、北朝鮮にも「裏家業」がある。たとえば、妊娠中絶手術を行なう闇医者や、個人営業の高利貸しだ。当然、見つかれば処罰されるが、北朝鮮で儲《もう》かっているのは、この手の仕事である。

データ 08

日本・韓国・中国の

文化

文

伝統と外来ものとのミックスで進化

かつて中国大陸や朝鮮半島に学び、独自文化に乏しかった日本。しかし今は、日本がトレンドを生む。

●外国文化の模倣から発展した日本

昨今では、中国や韓国による日本文化のパクリ、盗用が問題になることが多いが、古代や中世にはメイド・イン・チャイナ、メイド・イン・コリアこそが、日本文化のモデル像だった。

日本の文化は、漢字や食事に使う箸《はし》、暦や建築など、中国大陸と朝鮮半島から取り入れられた要素がかなり多い。

明治維新以降、日本はそれと同じような発想で西洋文化を取り入れて自国流にアレンジすることで近代化を進めた。むしろアレンジ力が日本文化の独自性だといってもよい。

こうして、戦後の日本は、ものづくりの国として世界的に注目され、現在ＩＴ分野などでは、中国や韓国が日本の文化や技術を取り入れるようになってきた。つまり、歴史的な観点からすると、まねる側とまねられる側が逆転したというわけだ。

伝統文化の復興に取り組む中国

東アジアの文化の多くは、古代の中国大陸を起源としている。血縁や上下関係の重視によって社会秩序を説く儒教の理念や、それをもとにした政治体制、生活習慣などだ。

だが、古代から文化先進地だった中国では、漢民族の文化こそ世界の中心とみなす「中華思想」が生まれ、日本とは対照的に外来文化を取り入れることにかなり抵抗があった。その結果、世界のトレンドから後れをとることになったのである。

しかし１９４９年に社会主義体制となって以降は、共産党に都合の悪い伝統文化はどんどん否定された。なかでも女性の足の形を無理やり矯正する纏足《てんそく》の習慣などは、廃止にも必然性があったといえる。

とはいえ、世界遺産の数は日本や韓国よりも多く、その歴史にひかれて訪れる観光客が多いこともたしかだ。経済が発展して海外との交流が進むにつれ、数々の史跡を重要な観光資源として、保護、整備する動きもさかんになってきている。

さらに、四季折々の節句を祝うなど、生活習慣に根づいた昔ながらの文化の多くは今も引き継がれている。

そのため、近年では近代化の足かせにもなった伝統文化の要素を見直し、うまく生かすようになってきたといえる。

韓国のお手本は、今やアメリカ？

大陸と地続きの朝鮮半島は、日本以上に古代から中国文化が色濃く残る。こと儒教の影響が強く、年齢の上下や、男女の別、親子兄弟などの血縁関係を重視する習慣は、冠婚葬祭から職場の人間関係まで、韓国社会のあちこちにおよんでいる。

文

政府の方針として一度伝統文化が否定された中国とは対照的に、戦後の韓国では公用の文字をハングルのみにするなど、国を挙げてのナショナリズム復興が唱えられた。

ところが、先祖代々続く昔ながらの伝統を大事にする方針とは裏腹に、韓国の商店には、日本の呉服屋や和菓子屋のような、創業が何百年前とうたっている「老舗」が少ない。これも支配階級のための学問だった儒教の影響だ。王侯貴族の伝統を重視する反面、商人や職人など庶民の仕事や習慣は、軽んじられてしまったのである。

儒教をはじめとする中華文化を積極的に学んだ韓国は今、アメリカ文化を積極的に取り入れている。第二次世界大戦、朝鮮戦争を経てアメリカとの関係が深まり、キリスト教が普及し、英語教育や英語圏への留学も活発である。

いっけん古風に見える韓国の文化だが、じつは外国文化をとり入れることにかけては、かなり積極的なのだ。

文化

01 宗教

「仏教式の代々のお墓」は日本だけ？多数の信仰が入り混じる中国の宗教

日本より宗教的にあいまいな中国

世界でもめずらしく、もっぱら仏教と神道のふたつを重複して信仰している国、それが日本だ。神道の中心にあった朝廷が、７世紀以降みずから仏教を取り入れたのがその大きな理由である。

そんな日本の仏教の特徴は、代々のお墓がお寺に属する点である。これは、江戸時代につくられた檀家《だんか》制度のためで、仏教には本来は先祖供養の考えはない。

韓国も古くから仏教徒が多いが、冠婚葬祭の習慣には儒教の影響が強い。たとえば、父母の遺骸《いがい》を焼くのは親不孝と考えるため、火葬ではなく土葬が主流である。

また、韓国は日本よりキリスト教が普及している。とくに戦後はアメリカの支援で多くのプロテスタント系の学校や教会がつくられ、熱心な信徒が増えた。

一方、共産主義を掲げる中国は、公式には無宗教の国である。信教の自由は認められているが、仏教やキリスト教などの「明確な信徒」は人口の5%ほどにとどまる。

しかも、チベット自治区のチベット仏教徒や、新疆《しんきょう》ウイグル自治区のイスラム教徒、気功団体の法輪功などは、中国共産党に敵対する勢力とみなされ、きびしい監視や、場合によっては弾圧の対象とされることもある。

日常的おまじないは多宗教混在

多数の中国人は宗教的な習慣がないのかというと、そうでもない。家を建てるときの吉凶を占ったり、日常的なおまじないとしての風水や道教の習慣は、今も多くの庶民に広く親しまれている。

日常的な習慣でいろいろな宗教の要素が混在しているという意味では、じつは日本も韓国も中国も似たようなものなのだろう。

宗教別人口

日本	中国	韓国
人口の約84%が大乗仏教と神道を重複して信仰	仏教、イスラム教、キリスト教など5%。95%は宗教不明	仏教25%、プロテスタント20%、カトリック7.4%ほか

出典:外務省「各国・地域情報」、『中国年鑑　2008』

02 民族・言語

共通点の多い日本語と韓国語。簡潔すぎて解釈がむずかしい中国語

見た目はちがうが文法はソックリ!

日本語を話す人が99%以上をしめる日本は、単一民族国家に近いといえる。韓国も、人口の99%は韓国語(朝鮮語)を話す韓民族(朝鮮族)だ。両国の言語は、字面を見るとまるで別物だが、じつは共通する要素も多い。

たとえば英語の「I love you」のように、「主語→述語→目的語」の構文の言語が世界的にも多く、中国語も同じだ。しかし、日本語も韓国語も「私はあなたを愛しています」という「主語→目的語→述語」の形の構文なのだ。

また、日本語の「なべ」「かま」は、韓国では「ネムビ」「カマ」と、似た発音の言葉も多い。『広辞苑』編者の新村出は、日本語の「三つ」「七つ」「十」は、古代朝鮮の高句麗でも「ミツ」「ナウン」「ト」と発音されたと指摘している。

地域で発音が変わる中国

　中国と韓国でも、似た発音をする語は多い。たとえば「一、二、三、四」は韓国語では「イル、イ、サム、サ」、北京語では「イー、アル、サン、スー」と発音される。口に出して読んでみると、日本語の発音にもちょっと似ている。国民の92％が中国語を話す中国だが、満族、ウィグル族、モウコ族などの少数民族は、それぞれ独自の言語を使う。

　また、中国語は、書き言葉は統一されているが、北京語の「ニイハオ」が、広東語では「ネイ

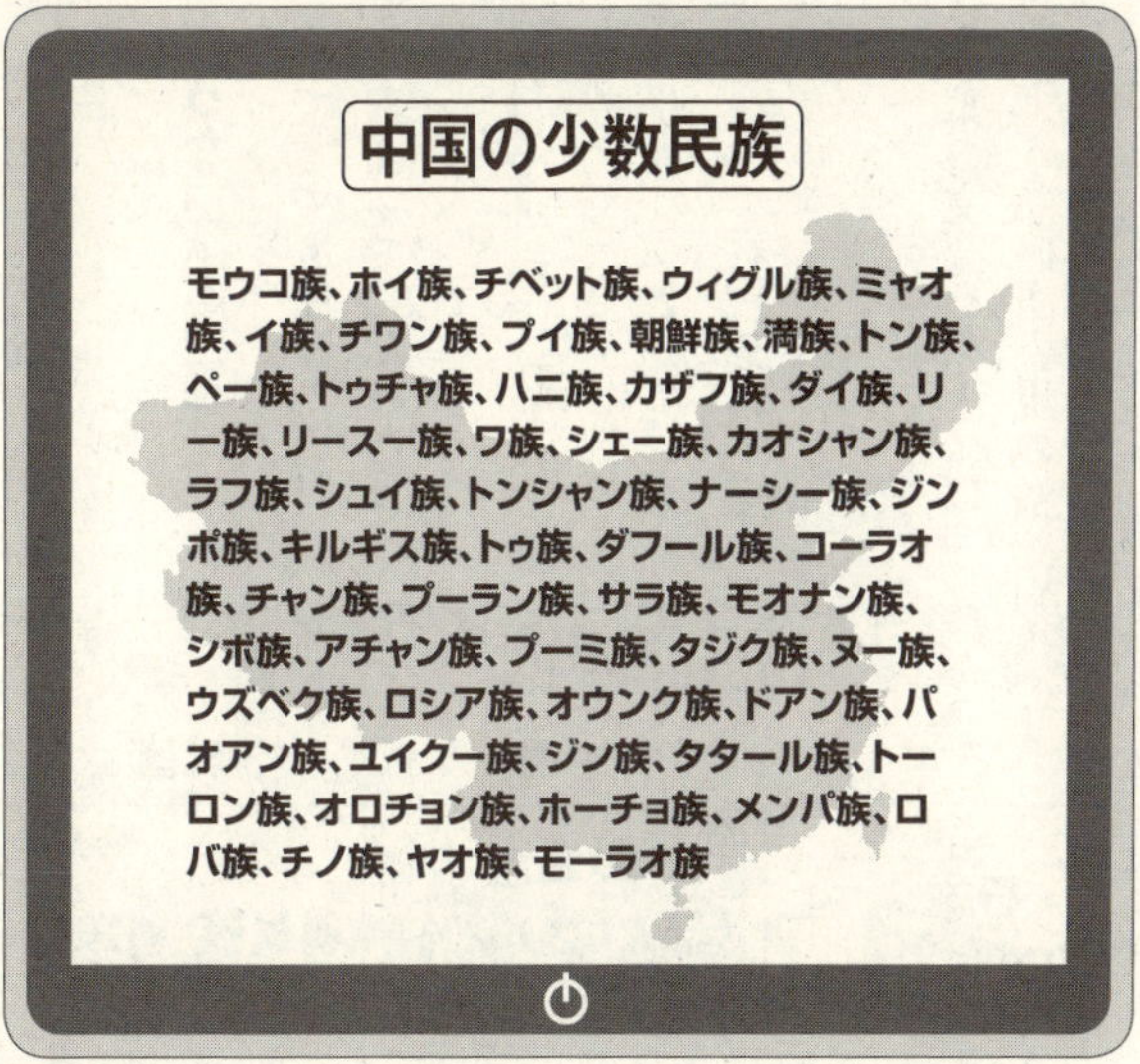

55の少数民族のなかには、中国語とまったく異なる言語を話す民族もある。

ホウ」、福建《ふっけん》語では「リーホウ」と、各地で発音は大きくちがうのだ。

文中に「だから」も「しかし」も入らない中国語

中国語は、日本語、韓国語にくらべてとても簡潔だ。たとえば「我吃飯」と述べれば、わずか三文字で「私はごはんを食べる」という意味になる。

しかし、中国語の文意を読みとるのは案外むずかしい。まず、日本語での「だから」とか「しかし」といった順接、逆接の接続語がないので、同じ文章でも話のつながりが反対に解釈できてしまう。また、語尾に「了」と付ければ「～し終わった」という意味になるが、過去形で「～した」というような時制表現はない。

これらは、中国語は古くから書き言葉の文語をベースに発達してきたので、日本語や韓国語のような口語表現の幅が広がらなかったからだという。

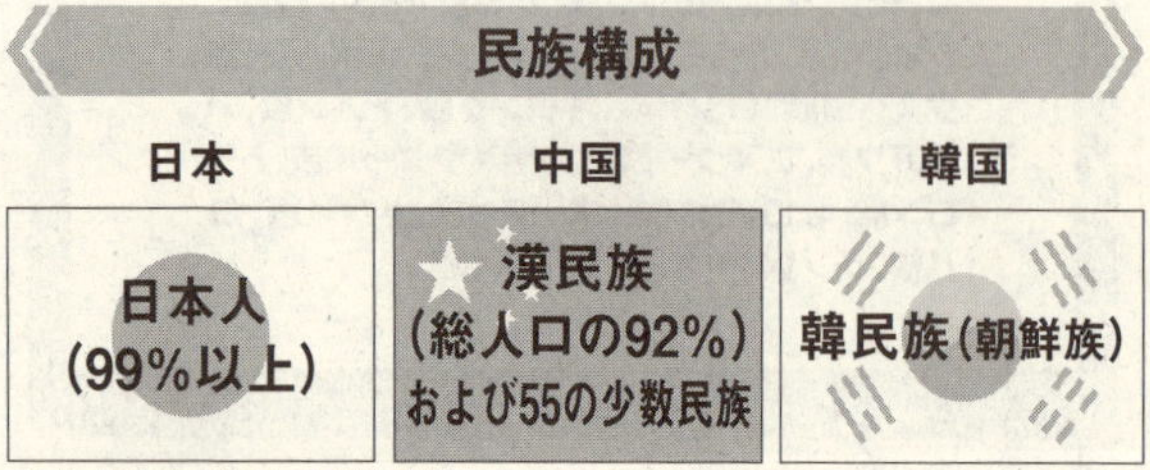

出典:外務省「各国・地域情報」

文化

03 世界遺産

アジア一の世界遺産の数をほこる中国。日中、日韓の縁を反映した史跡も

複合遺産は夢のような絶景

歴史も古く国土も広い中国は、やはり世界遺産の数もだんぜん多い。ちなみに世界遺産とは、ユネスコ（国際連合教育科学文化機関）によって、文化遺産、自然遺産としての普遍的価値があると判断されたものが登録される。

中国は日本と韓国に先んじて、まず１９８７年に、泰山、万里の長城、北京にある明朝と清朝の皇宮、敦煌《とんこう》の莫高窟《ばっこうくつ》遺跡、秦の始皇帝陵、周口店の北京原人遺跡の６カ所が登録された。

なかでも、山東省の泰山は、世界的にも数少ない文化遺産＋自然遺産の「複合遺産」だ。標高１５４５メートルの山中には、多くの史跡がある。

泰山の頂上は玉皇頂と呼ばれ、２０００年以上前の前漢代に建てられた「無字碑」

がある。この碑はその名のとおり何も書かれていない。山頂の眺めが、言葉で言い表わせないほどの絶景だからだという。……なるほど、奥が深い。

『三国志』の古戦場も世界遺産に？

近年では、２００９年に山西省の五台山が世界遺産に認定された。この山は仏教の聖地で、ダライ・ラマも訪問している。日本にもゆかりのある史跡で、平安から鎌倉時代にかけて日本の留学僧が多数訪れた。

また、現在申請中のものでは、

世界的に知られた建築物が多く、観光スポットとしても人気が高い。

日本でも『三国志』の古戦場として有名な五丈原《ごじょうげん》を含む四川省の蜀道《しょくどう》、12世紀につくられた北京市の盧溝橋《ろこうきょう》（日中戦争勃発《ぼっぱつ》の地にもなった）などがある。

屋久島は登録されたが富士山はまだ

日本初の世界遺産は、93年に登録された法隆寺地域の仏教建造物、姫路城、屋久島、秋田県の白神山地の4カ所だ。だが、じつは日本一の富士山は、まだ登録されていない。

一方の韓国では、95年にはじめて、石窟庵《せっくつあん》と仏国寺、海印寺大蔵経板殿、ソウル市にある李氏朝鮮の宗廟《そうびょう》の３カ所が登録された。なかでも、慶尚南道《キョンサンナムド》の海印寺大蔵経板殿は、日本の仏教界とも縁がある。海印寺は、13世紀（当時は高麗時代）に誕生した「八万大蔵経」を所蔵している。

これはなんと、５０００万字の経文を板に彫ったもので、大正時代に誕生した漢訳仏典の集大成『大正新脩大蔵経』の底本とされた。世界遺産にふさわしいエピソードである。

世界遺産の数(2009年)

日本	中国	韓国
14カ所	38カ所	9カ所

出典：社団法人日本ユネスコ協会連盟

文化

04 祝日

韓国は釈迦の誕生日が休み。中国には、女性だけ休める日が

元旦と旧正月の両方が祝日の中国と韓国

日本のカレンダーで年間の祝日を数えてみると、15日ある。中国は16日、韓国は14日で、あまり変わらない。1月1日の元旦を祝日とするのは三国とも共通しているが、中国と韓国では、さらに歴史的な旧暦での正月（元旦から3~6週間後）も祝日となる。うれしい制度だ。

さて、日本の祝日の特徴といえば、天皇誕生日だろう。今上天皇の誕生日（12月23日）だけでなく、2007年には、昭和天皇の誕生日（4月29日）が昭和の日となった。文化の日（11月3日）も、じつは明治天皇の誕生日である。これは中国や韓国にはない、独特の祝日である。

一方の韓国では、旧正月と秋夕《チュソク》（旧暦のお盆）は、当日の前後も含めての3連休

になる。さらにユニークなのは、釈迦《しゃか》の誕生日（旧暦の4月8日）と、キリストの誕生日であるクリスマス（12月25日）が両方とも祝日になっていることだ。もっとも、どちらの信徒も多いので韓国人に違和感はないはずだ。

中国では女性だけ、子どもだけの休日も

中国の祝日は、韓国と同じく旧暦のお盆である中秋節などの伝統的なもののほかに、国際労働節ことメーデー（5月1日）など、共産主義運動に由来するものが多い。

とくに、国際労働婦人節（3月8日）は女性のみ休日、国際児童節（6月1日）は子どものみ休日、建軍節（8月1日）は軍人のみ休日となっている。もっとも、国民全員でなくても、数億人が休むという計算になる。

なお、意外なことに、中国には毛沢東にちなんだ祝日などはない。そもそも、天皇誕生日やクリスマスのような個人に由来する祝日というものが、いっさいないのである。

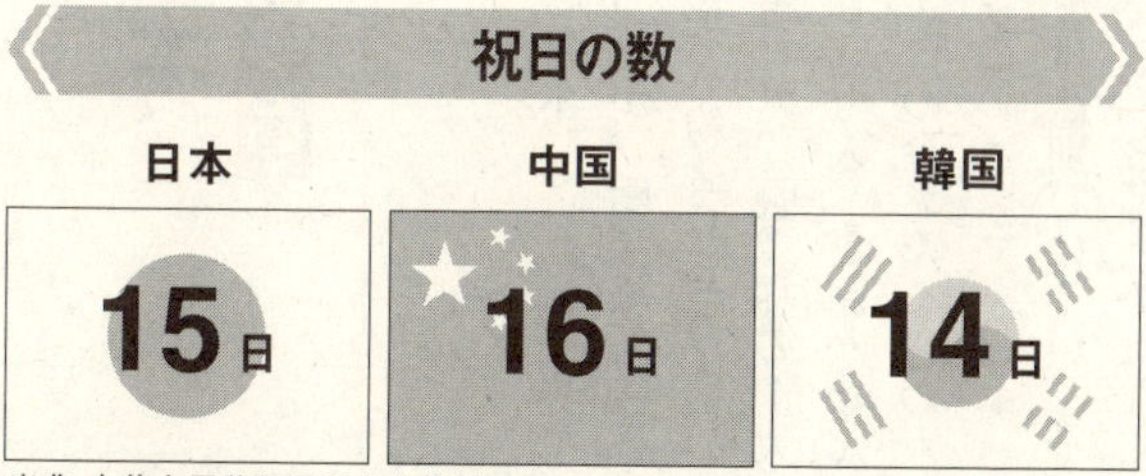

出典：中華人民共和国日本大使館ほか

文化

05 姓

世界でもっとも姓の種類が多い日本。少ない姓を絶妙に区別する中国と韓国

韓国は5人にひとりが金さん

佐藤サン、鈴木サン、高橋サン……約30万種類もの姓がある日本。これは世界でもトップクラスだ。庶民の多くは江戸時代まで姓をもてなかったが、明治維新後は多くの姓がつくられた。現在、日本でもっとも多い姓は「佐藤」で、約２００万人だ。

韓国の姓は２８０種類ほどで、金、李、朴、崔、鄭、姜、趙、尹、張、林の十大姓だけで人口の約60%をしめる。いちばん多い「金」は約９００万人、これがなんと総人口の20%近くをしめる。おかげで「金さん」だけではどこの金さんやらわからないため、韓国では人を呼ぶとき、もっぱらフルネームとなる。

また、イニシャルの組み合わせも当然少ないため、二文字では区別しにくい。そこでたとえばペ・ヨンジュン（ＢＡＥ・ＹＯＮＧＪＯＯＮ）なら「ＢＹ」ではなく

「BYJ」と三文字で記す習慣が定着している。

なお、一文字の姓が多い韓国でも中国でも、西門、諸葛、といった二文字の姓も少数ながら存在している。

李さん、王さんで約2億人！

日本にくらべると少ない中国の姓は、全部で約4000種類ほどといわれる。

中国では、李、王、張、劉、陳、楊、趙、黄、周、呉が十大姓だ。とくに「李」と「王」の姓の人はともに1億人近くもいる。このふたつの姓が人口の約15%をしめる。

韓国でも中国でも多い李姓の英語表記は「Yi」「Rhee」など複数あるが、現在ではアメリカのジーンズと同じ「Lee」が主流だ。

ちなみに、中国も韓国も昔から夫婦別姓だ。子どもは父親の家の姓を名乗るが女性は結婚しても姓が変わらないという変わった制度となっている。

多い姓のベスト3

日本	中国	韓国
1位：佐藤	1位：李	1位：金
2位：鈴木	2位：王	2位：李
3位：高橋	3位：張	3位：朴

出典：『日本人　中国人　韓国人』金文学

文化

06 携帯電話

世界の携帯の5台に1台は韓国製！中国の巨大携帯市場は再編中

工場はカメラつき携帯持ち込み禁止！

韓国が日本より一歩先を走る分野のひとつ、それは携帯電話だ。人口比での普及台数は日本が86％に対し、韓国は94％。携帯電話端末シェアでも、韓国のサムスン電子は、フィンランドのノキア、アメリカのモトローラについで、堂々の世界ナンバー3なのだ。じつは今、日本でも人気の「iPhone」も韓国製の部品が多い。

韓国の携帯電話は国際通話の料金が安く、MP3などの音楽再生や、画像・ムービー撮影機能も高レベルである。その反面、大手メーカーの工場では、製品情報が外部に流出するのを防ぐため、従業員のカメラつき携帯電話の使用制限がある。

一方の中国の携帯電話普及率は、まだ47％ほどだが、独自の技術開発には積極的だ。最大手の通信事業者である中国移動が提供するポータルサイト「Mobile

Ｍａｒｋｅｔ」は、個人がゲームなどの自作アプリケーションを提供して収益を得ることができ、技術者育成の場として盛り上がっている。

中国、韓国は業者が三強時代に

通信事業者が端末を格安で販売して通話料で収益を上げるというシステムで発展してきた日本だが、海外からは孤立している。日本の携帯市場は「ガラパゴス化している」と言われるが、まさに独自の進化をとげた形である。

逆に中国、韓国の携帯市場は国際競争力の強化を進めている。２００９年、中国では、通信事業者が中国移動、中《ちゅう》国聯通《ごくれんつう》、中国電信の３社に再編された。

韓国でもＫＴ、ＳＫテレコム、ＬＧテレコムの３社に通信事業者が再編されている。ガラパゴスに中国や韓国のメーカー、通信事業者が参入するとどんな変化が起こるか、見ものである。

携帯普及率と台数(2008年)

日本	中国	韓国
86.3%	47.4%	94.3%
(1億1,040万台)	(6億3,400万台)	(4,561万台)

出典:ITU, World Telecommunication/ICT Indicators, 2007,2008

文化

07 インターネット

先生が生徒にメールする韓国。中国は共産党が検閲で情報制限

小学校からIT教育がスタート

日本はIT先進国を自負しているが、インターネット普及率はじつは韓国のほうが上だ。韓国は、1999年に導入された「サイバーコリア21」政策で、日本に先んじて高速・大容量のブロードバンド回線が広まった。マンションなど集合住宅の多い韓国では、ひとまとめにブロードバンド回線を導入しやすかったのだ。

また、韓国では小学校でも全教室にパソコン完備、先生から生徒への通達もメールで、といったことがめずらしくない。その一方で、寝食を忘れてネットのオンラインゲームに没頭する「ネット中毒者」も多く、体調を壊す若者があとを絶たない。

日韓に後れをとる中国は、普及率は低いものの、利用者人口は世界一だ。若者の

あいだでは、ネット仲間をさす「網友」、ネット恋愛をさす「網恋」、ネット中毒者をさす「網虫」といった言葉が次々と登場している。兄弟のいないひとりっ子が多いために、ネットで友だちを求める志向が強いというわけだ。

ツイッターを阻止するネット検閲

だが、今も共産党一党支配の中国のネット上では「金盾《ジンドゥン》」と呼ばれる一種の検閲システムが働いている。

このため、中国内の民主化運動、法輪功、チベット解放運動、一部の海外のニュース記事、ツイッター、youtubeの動画などにはアクセスできない。検索エンジン大手のGoogleも、この検閲制度のために中国市場からの撤退を余儀なくされた。

しかし、ネットの抜け穴を見つけるのが得意な人も多く、中継サーバーを利用するなどの手段で「金盾」による検閲の裏をかく方法を模索する人も多いとか。

インターネット普及率と利用人口(2008年)

日本	中国	韓国
68.9%	22.3%	77.5%
(8,810万人)	(2億9,800万人)	(3,748万人)

出典:ITU国際電気通信連合調査

NORTH KOREA REPORT 08

北朝鮮の世界遺産

みんな大好きな白頭山《ペクトサン》

現在、北朝鮮には世界遺産がひとつだけある。2004年に文化遺産として登録された、平壌市と南《ナム》浦《ポ》市の高句麗の古墳群だ。

かつてこれらを築いた高句麗王朝は、紀元前1世紀から7世紀後半まで、朝鮮半島中部から現在の中国の東北部までを支配していた。このため、北朝鮮内の遺跡だけでなく、中国領内にある遺跡も同時に世界遺産に登録されている。

また、登録申請中なのが、中国との国境に位置する白頭山だ。標高2750mをほこる朝鮮半島の最高峰で、冬は山頂が雪におおわれ、夏も山頂の岩肌が白く見えることからこう呼ばれる。

金日成《キムイルソン》が日本への抵抗運動をはじめた場所とされ、金正日《キムジョンイル》もこの山で生まれたとなっている。北朝鮮では、乗用車や貨物船、長距離ミサイルの名前も「白頭山号」。この山は北朝鮮の聖地なのだ。

データ09

日本・韓国・中国の

お金・経済

金

庶民にはまだまだきびしい東アジア景気

停滞の続く日本経済に対し、中国のフトコロは絶好調。そして堅調に見える韓国経済。その陰には格差が。

●お金を使わなくなった日本の若者

景気低迷が続く日本では、国内でモノが売れない、輸出も伸びない、給料も上がらない、という最悪の状況に陥っている。

長らく、各官庁の主導で国内産業の保護がはかられてきたが、ここ10年あまりで農業から金融まで、さまざまな分野で規制緩和と自由競争が導入されることになった。

もともとは国際競争力をつけて産業を活性化させる意図があったはずなのだが、結果的にこの政策のせいで競争力の弱い中小企業などが淘汰《とうた》されてしまった。こうして、経済的な「勝ち組」と「負け組」が生まれ、庶民の不安が広がったといえる。

この影響で、最近の若い人はお金を使わず、そのため高級車もブランド品も売れないといわれる。バブル期を経験していない若者は、ぜいたくやムダ遣いなど、想像すらできないだろう。

月給を使いはたすのが今の中国流？

日本とは対照的に、中国はリッチな国になりつつある。社会主義を掲げている中国では、もともと個人の金儲《もう》けは否定されていた。しかし、１９８０年代に「先に豊かになれる者が豊かになり、貧しい者を助ける」という「先富論」が唱えられ、方針転換がはかられたのである。

こうして、香港や深圳《しんせん》など、外資企業の導入が認められた「特区」のある沿岸の都市部を中心に、富裕層が増えていった。ただし、「先富論」の後半部分はなかなか実現せず、ただ格差が広がる状況となっているのもたしかだ。２００４年には、貧富の差の解消も含め、調和の取れた社会をめざす「和諧《わかい》社会」というスローガンが掲げられたが、その効果もまだ出ていない。
北京や上海などの都市部では、消費支出は拡大する一方で、近年は「月光族」と呼ばれる若者が登場している。中国では光という字句に「～しつくす」といった意味があり、月光族とは、月給を使いつくす人々という意味だ。

お金を使わなくなった日本人とは対照的に、彼らは、ほしいものにはバンバンお金を使う。もっとも、これが続けば今後は日本と同じくカード破産や多重債務が増える可能性もある。

お金があれば徴兵も逃れられる韓国

韓国経済も、１９８０年代から急成長をとげ、近年ではＩＴ産業や自動車を中心に対外貿易も堅調だ。

しかし、日本のバブル崩壊と同じく、一度危機に陥ったことがある。それが97年に起こったアジア通貨危機だ。韓国の通貨ウォンが暴落し、ＩＭＦ（国際通貨基金）の緊急支援を受けた

金

ことで、韓国では「ＩＭＦ危機」と呼ばれる。

この危機を企業の整理統合などを進めることで乗り越え、2000年代には国の経済は持ち直した。また、急成長をとげた中国との交易が拡大したため景気も回復したのである。

しかし、ＩＭＦ危機を機にそれまでの中流階級といえる層が少なくなり、勝ち組と負け組の二極分化が進んでいる。

ヒョンデやＬＧのような資本力のある財閥系大企業の社員は高給を得ているが、その一方では、電気やガス、水道といった公共料金を滞納する世帯も増えているという。

こうした貧困世帯は日本にも少なくないが、とくに韓国の貧困層が怒りをつのらせるのは、富裕層による兵役逃れだ。韓国では今も徴兵制度があるが、富裕層の家の男子であれば、コネや財力で特例的に徴兵を逃れられる役職にも就ける。

当然、こうした不平等への非難の声は大きく、経済格差や社会保障の改善は、大きな課題となっている。

01 貯蓄率

中国の総貯蓄は日本の2倍！日本や韓国は浪費のツケがくる？

意外にガッツリお金を貯める中国人

お金を使わなければ経済は回らないといわれるが、浪費がいいわけでもない。

GDP（国内総生産）に対する総貯蓄、つまり国民が消費せずに貯蓄に回しているお金の比率を比較してみると、日本は27％、中国は54％、韓国は30％だ。

つまり、中国人は日本人の2倍も財布のヒモが固いことになる。現在の中国では、経済の高成長の影響でバブル時代の日本のようにバンバンとお金を使う人間が増えているというのに、これはちょっと意外な印象である。

ちなみに、1990年の数値では、日本の総貯蓄は30％、中国は43％、韓国は36％だ。日本と韓国は減っているのに、中国は伸びているのだ。とくに、景気後退で利率が下がった韓国では、単なる貯蓄よりも投資に移行する人が増えている。

低下を続ける日本の貯蓄率

日本もかつては「ムダ遣いは良くない」という価値観が強く、貯蓄率も高かった。しかし、80年代以降は、借金しても消費にお金を使うように世の中が変わってきた。

さらにバブル崩壊以降は、消費を抑えて貯蓄するというより、むしろお金がないから貯金をくずさなければやっていけない、という状況になっているようだ。

お隣の韓国でも、世の中が豊かになって消費欲が増すにつれ貯蓄率は低下した。97年のＩＭＦ危機の直後は韓国の消費者もめっきりお金を使わなくなったが、そのあとで景気が持ち直すと、また貯蓄率は低下している。

もしかすると、将来中国でも日本や韓国と同じように貯蓄から浪費に転じる時代が到来するのかもしれない。ただ、当分は中国人の財布のヒモの固さも、現在の中国経済を支える力のひとつだと思っておいたほうがよさそうだ。

GDPに対する総貯蓄(2006年)

出典:OECD、世界銀行調査ほか

金 お金・経済

02 所得格差

都市と農村の収入差が3倍以上!? 中国の格差は、ついに危険域に突入

農村部では冷蔵庫のない家が3軒に1軒

「国民のあいだでどれぐらいの格差があるか?」を調べるとき使われるのは、所得層のばらつきを示すジニ係数だ。数字が0に近いほど格差が少ない。先進国はおおむね0・2〜0・3台、アフリカ諸国などの最貧国クラスでは0・5〜0・7台だ。

このジニ係数で三国を比較すると、日本は0・249、韓国は0・316。そして中国は、0・469だ。しかも中国は年々、数値が大きくなっている。つまり、格差がジワジワ広がっているというわけだ。

格差の大きな国というと「少数の金持ちと多数の貧乏人」というイメージがあるが、じつは現在の中国は富裕層の割合が約40%、貧困層は10%以下となっている。ただし、その10%以下の貧困層でも、1億人近い数である。

そんな中国の都市部と農村部での所得格差は、約3・33倍。農村部の冷蔵庫の普及率は都市部の3分の1以下で、エアコンの普及率はさらにひどく、10分の1以下だ。都市部への出稼ぎが多いのも無理はない。

日本と韓国にも迫りくる格差

中国の格差問題は、都市部では新しい富裕層が生まれる反面、農村部の貧困層がとり残されるという形だ。

かたや、ジニ係数での数字上は格差の小さい日本と韓国。両国では、中国とは逆に、富裕層は現状のまま、若い世代の収入が伸び悩んでいる。

近年、韓国の20代には大卒でも88万ウォン（約6～7万円）が平均的な給与という非正規雇用者が少なくない。こうした格差によって生まれる最大の問題は、直接的な貧困より「努力しても報われないんじゃ、マジメに働く気がしない」という絶望だろう。

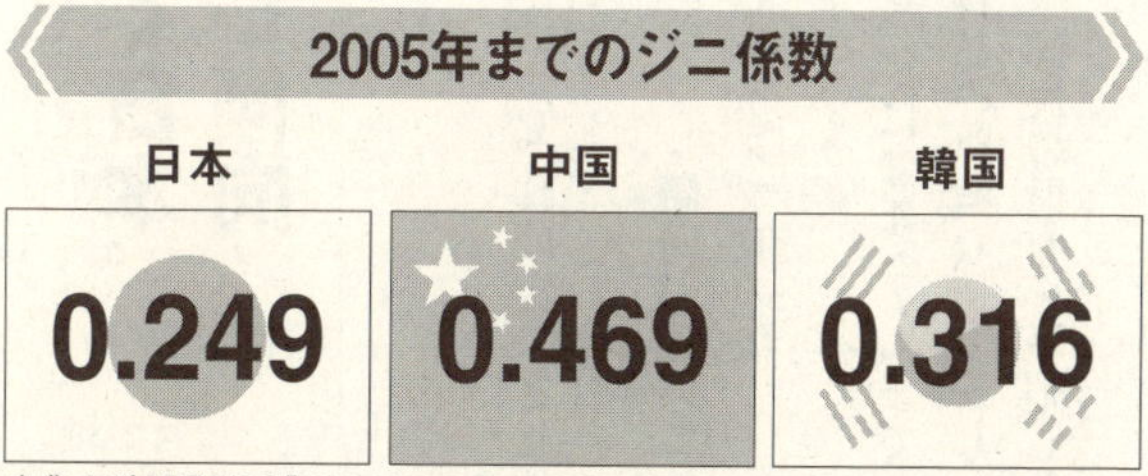

出典:国連開発計画「HUMAN DEVELOPMENT REPORT 2007/2008」

03 物価上昇率

長期デフレで物価すえおきが続く日本。韓国は成長中の中国よりインフレ傾向

食料品が一気に値上がり!?

物価は上がっても困るが、下がってばかりでもいいことはない。それは結果として、給料も上がらなくなるため、結局ものを買えなくなるからだ。日本の消費者物価上昇率は、21世紀に入ってから1%未満のデフレ傾向が続いていた。これでは企業の儲《もう》けも伸びない。2008年には世界的なインフレの波で一度1・5%にはね上がったが、また下落している。

お隣の韓国では日本とは逆にインフレ傾向が続いていて、08年には4・7%まではね上がった。日本と同様に資源を輸入に頼る韓国では、食料品の急激な値上がりに加え、ガソリンなどエネルギー関係の値上がり幅も大きく、国民の財布を圧迫したようだ。

経済成長率が伸びている中国では、それに引っ張られて物価も上がっている。06年までは1～3%台の上昇率だったが、07年にはいきなり4・8%、08年には5・9%上昇した。韓国と同様に、食料品の値上がりも著しい。

農村のほうが深刻なインフレに

ところが、09年には中国の物価上昇率の伸びは一気にマイナスに落ちた。政府としても、高インフレの狂乱物価は避けたいため、さまざまな政策がとられている。

商品の値上がりを見越して「売り渋り」をする企業や、物価の引き上げについていい加減な情報を流す者は、きびしく罰せられる。便乗値上げをはかる不届き者がいるのだ。

ところで、中国内の物価上昇率は、都市部よりも農村部のほうが高い。農村は都市より収入は少ないのに、物価高の影響は大きいのだから、当然、生活が苦しくなる。なんとも理不尽な話だ。

出典：総務省統計局「消費者物価指数年報」ほか

04 消費税

日本の消費税は低いと思いきや、韓国は肉、野菜、魚には非課税。

日本より10年以上早く導入された韓国

消費税が日本にはじめて導入されたのは1989年。当時の反発は大きかった。現在、5%の消費税率をさらに引き上げるか否かの議論で、やはり政界はおおいに揺れている。

韓国では、日本の消費税に当たるものは附加税と呼ばれる。導入されたのは、朴《パク》正熙《チョンヒ》大統領時代の1977年で、日本の消費税導入より10年以上も早い。当時の韓国は、まだ国民に有無をいわせない軍事政権だった。

附加税は基本的には10%だが、たとえば食品では、加工品にはこの税がつくものの、生鮮品として売られる野菜や魚肉、牛乳などにはつかない。

一方、中国では日本の消費税に当たるものは「増値税《ぞうちぜい》」と呼ばれる。税率はじつに17%と、かなり高い。

だが、食料品、水道水、石炭などは税率が少し低めで13%だ。導入は開放経済が本格化して以降の1994年で、現在では、国でも地方でも最大の税収源である。

ところどころ不十分な免税

なお、商品についている付加価値税は、外国人旅行者が買い物をしたときや、輸出品に関しては基本的に免税になる。ただし、韓国では海外旅行者が免税手続きをしたときの附加税の払い戻しは10%ではなく8%になるので注意が必要だ。

さらに、中国の増値税は、中国内の税務関係者の都合で、輸出品目によっては購入者に還付されないものがたまにある。外国人でも免税されない商品を輸入すると中国に納税することになるため、外国企業のあいだから不満の声もあがっている。

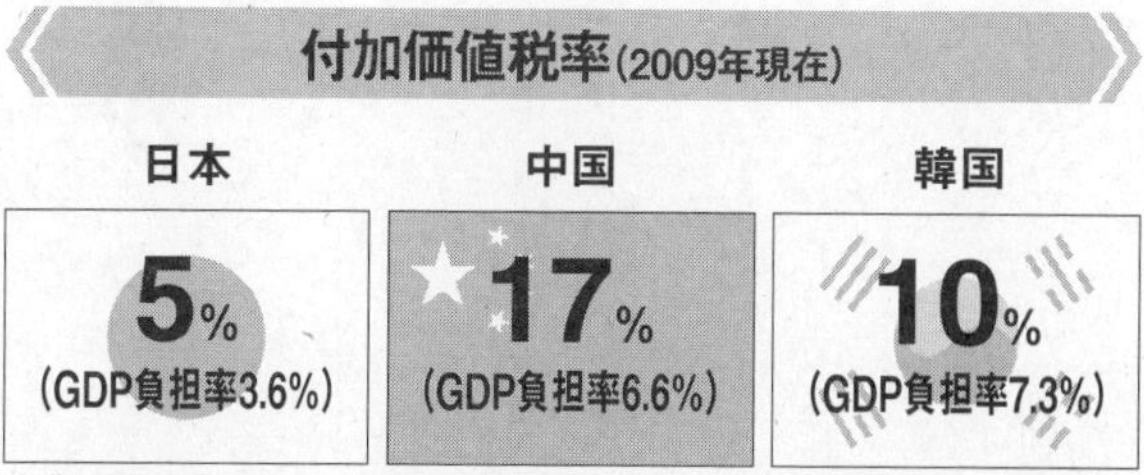

出典:財務省「G7・アジア諸国における法人税率・付加価値税率及び負担率」

05 クレジットカード

景気回復と引き換えに多重債務者が続出した韓国。中国はこれから？

6、7人にひとりはブラックリスト入り!?

現在、日本での成年人口ひとり当たりのクレジットカード所有枚数は約3枚で、韓国もほぼ同様だ。韓国では、人気女優のキム・テヒがCMキャラクターをつとめたBCカードが最大手。3割を超えるシェアをほこる。

日本では、いくら使ったかわからないままカードで買い物を続けたりすることや、その結果ひき起こされる「カード破産」が問題になって久しいが、この手の話はじつは韓国のほうがひどい。

韓国では、不景気に陥った1997年のIMF危機以降、個人消費を増やすため、無審査でカードに加入できるようにしたうえ、引き出し額の上限などといった規制を大幅に緩和した。

このおかげで、短期的に韓国経済の景気は回復したが、山のようなカード負債をつくって、さらに別のカード会社からも借り入れる多重債務者が続出。なんと国民の6、7人にひとりは、金融機関で信用不良になってしまった。

中国で人気は銀聯《ぎんれん》カード

中国でのクレジットカード総発行枚数は約1億枚で、お世辞にも普及しているとはいえない。VISAやJCBなどの海外大手が進出しているが、まだ浸透していない。

しかし、銀聯カードと呼ばれるデビットカードの人気は圧倒的に高い。クレジットカードは持っていても使えない店が多いため、その代わりに高額な買い物をする際に使えるこのカードは重宝されているのだ。

経済成長が続いているうちはまだいいが、もしこれが止まったら、中国でもカード破産や多重債務がめずらしくない時代がやってくるかもしれない。

成人ひとり当たりクレジットカード枚数(2009年)

日本	中国	韓国
3.0枚	0.12枚	2.9枚
(3億1,783万枚)	(1億423万枚)	(1億699万3,000枚)

出典:「レコードチャイナ」、「聯合ニュース」、社団法人日本クレジット協会

お金・経済

06 お年玉

中国では、お年玉にも格差が……。額だけ見れば裕福そうな日本。

旧正月にお年玉がもらえる中国と韓国

子どもにお年玉をあげる習慣は、日本だけでなく中国、韓国にもある。ただし、現在も旧暦で正月を祝う中国と韓国では、お年玉がもらえるのは、旧正月（1月中旬から2月中旬）だ。

ちなみに、中国でのお年玉は「紅包《ホンバオ》」「圧歳銭《ヤースイチエン》」と呼ばれ、赤い袋に入っていることが多いという。

さて、日本、中国、韓国の高校生は、いったいどれぐらいお年玉をもらっているのだろうか？　単純な平均額をくらべると、日本は約3万5千円、中国は約1060元（約1万6千円）、韓国は約12万3千ウォン（約1万5千円）。こうしてみると、日本は中国、韓国の2倍以上で、日本の子どもはまだまだ裕福に感じられる。

なお、日本でいちばん多い金額層は2万5千円から3万円で、約23%。韓国では、いちばん多い金額層は8万ウォンから10万ウォン（約1万2千円）の約27%だ。

子どもどうしの「お年玉格差」

中国では、お年玉の金額に大きなばらつきがある。

いちばん多い金額層は、0元から200元（約2600円）で約20%、「0元」というかわいそうな子も約9%いる。日本や韓国にも「0円」「0ウォン」という層はいるが、いずれも約2%にとどまる。

その一方で、平均の3倍に当たる3000元（約4万円）以上と答えた層が、約5%いたという。日本でも平均額の3倍に当たる「10万円以上」をもらっているうらやましい子はいるが、わずか1%未満だ。

急速な発展の反面で格差が広がる中国では、それが子どものお年玉にまで大きく影響しているようだ。

高校生のお年玉金額の平均値

日本	中国	韓国
3万5,020円	1,062元（約16,000円）	123,113ウォン（約15,000円）

出典：社団法人日本青少年研究所　2007年調査

07 生命保険

これも社会主義の名残?「生命保険は無用」と言いきる中国人

韓国人は意外に日本より用心深い?

「備えあれば憂いなし」というが、日本は生命保険の加入率が8割以上と高い。これは、民間の生命保険のほか、郵便局やJA(農協)の保険も含まれる。

韓国は日本をさらに上回り、把握されている限りでは、民間の生命保険だけで約85%が加入している。疾病保険なら約87%、傷害・災害保険なら約71%の加入率となっている。これには、年金制度の不備という大きな理由がある。

これに対し、中国での生命保険加入率は、まだ約46%にとどまっている。一応、未加入だが生命保険は必要だという人は約36%いるのだが、逆に、加入していないしする気もないという、ずいぶんと割り切った人も約17%いる。

中国では、経済開放政策が本格化した1990年代になるまで、社会主義の建前のもと、もっぱら、国や国営企業が保険料を負担していた。

このため、自分の生命の安全をはかるため生保に加入したり、万が一の場合の保障を買うという考え方がまだ普及していないのだ。

やっと全国どこでも使える保険に

ところで、中国では最近、ある保険改革が行なわれた。かつて中国では、農村部と都市部は戸籍が別々のため、農村部からの出稼ぎ労働者が都市部に出たとき、地元で加入していた社会保険を解約しなければならなかった。

つまり、都会に出て病気やケガをしたとき、故郷でせっせと積み立てた保険は使えなかったわけだ。

しかし、ようやく全国どこでも保険の積み立てが引き継げるよう改善されたのだ。当然の措置ともいえるが、中国でも社会保障をめぐる問題への関心が高まってきたということだろう。

出典:財団法人生命保険文化センターほか

NORTH KOREA REPORT 09

北朝鮮のお金

あっても使われなかったウォン札

韓国と同じ通貨ウォンを使う北朝鮮。とはいえ、韓国よりも通貨の価値がかなり低い。

北朝鮮の労働者の多くは、現金ではなく配給券でお米などを買う。お金はタンスの引き出しに入っているものだった。なにしろ、店に品物はほとんどなく、銀行に預けても利子どころか逆に手数料をとられるような状態だったのだ。

そんな北朝鮮でも、21世紀に入ってからは貨幣経済が広まり、一部のお金持ちは、外貨ショップで日本製品を買えるようになってきた。

ちなみに、北朝鮮では2010年から外国人による外貨の買い物を規制した。それまでは、円やドルで買い物をすると、なぜかユーロでおつりが支払われていた。ＥＵ加盟国でもないのにユーロが使われたのは、政府がアメリカのドルを嫌ったためだという。困ったこだわりだ。

教

データ 10

日本・韓国・中国の

教育

教

日本をしのぐ中国と韓国の教育熱

少子化で(?)競争意識が落ち込む日本。中国では、はじまったばかりの受験競争で親がヒートアップ。

●日本の学力低下の原因は政策か、ハートか、金か?

「分数の割り算ができない高校生」「漢字の読めない大学生」といった学力低下ぶりで、日本は笑えない状況になりつつある。

原因として、2002年度から実施された「ゆとり教育」が指摘されることが多い。ただ、教育をめぐる社会全体の環境が変わってきたことも少なからず影響しているはずだ。

もともと日本では、1970年代後半ごろから「受験戦争」という言葉が広まった。産業構造の変化でサラリーマン世帯が増加するとともに「いい大学に入って、いい会社に入る」という人生モデル像が一般的となった。

しかし現在は、少子化の進行で入学志願者は全員大学に入れる状態。つまり、やっきになって受験勉強する必要が失われてきたのである。それでいて、日本の大学進学率は50％台のまま。これには「教育にはお金がかかる」という事情もある。

一流大学進学者はやはり塾や家庭教師などにお金をかけられる富裕層が多く、貧困層は進学率が低い。貧乏は貧乏のまま、富裕層はますますリッチになるのでは？という懸念もある。

これには、政府の責任もあるかもしれない。日本の教育機関への公的支出は、主要先進国28カ国中26位。

このまま日本の教育は新興国に追い抜かれてしまうのか？重要な課題である。

"留学帰り"が中国を変える！

教育格差という点では、中国は日本よりも深刻だ。農村部では教員不足のため十分な初等教育を受けられない子どもがいる一方、北京や上海では、年間の学費が10万元（農村部の年間消費支出の約30倍）もするような私立学校も増えている。

また、大学進学率はいまだ低いものの、富裕層のあいだでは、急速に教育熱が高まっている。しかし同時に、子どもの点数をよくしてもらうための教師への賄賂《わいろ》、裏口入学といったダークな側面も目立ちはじめているのも事実だ。

一方で、高学歴化とともに増えているのが海外留学だ。中国では留学帰りの人材は、外洋に出ていた海亀が産卵のため浜辺に戻ってくる姿にちなんで「海亀派」と呼ばれる。

かつては海外に対して閉鎖的だった中国。だが、欧米や日本の政治や文化習慣を学んできた「海亀派」が増えれば、中国の体質を内部から変えてゆく原動力になるかもしれない。

数百年以上の歴史をもつ韓国の受験文化

とにかく教育熱が高い韓国。子どもの塾通い率も、大学進学

教

率も日本より高く、語学力をつけるため幼児期からの留学もめずらしくない。受験競争もかつての日本よりはるかにきびしく、まさに超学歴社会となっている。

そんな韓国の教育熱の背景には、かつての科挙、つまり中世の官吏受験制度が大きな影響を与えているといわれる。

高麗王朝から李氏朝鮮の時代、朝鮮半島の役人は文官と武官の「両班《ヤンバン》」からなっていた。こと李氏朝鮮では、むずかしい科挙試験を経て選抜された文官が重用されている。

つまり、朝鮮半島では中世から「科挙（受験）」に合格すれば超エリート」という文化だったのだ。

ただし、儒教文化のもとでの科挙制度は、詩文などを重んじ、商業や工業などの実学を見下す傾向があったため、技術者は育ちにくかった。

だが、現在はＩＴなどの技術者教育に力を入れ、まさに日本を見下ろすようなところまで来ているのである。

教育

01 大学

モチを食べて志望校に貼りつく!? 日本の大学は今や海外でも低評価？

モチを食べて受験に臨む韓国の学生

韓国の大学進学率は世界屈指の高さをほこり、じつに80％を超える。儒教文化の影響が強いため、商人や職人は役人やホワイトカラーにくらべて尊敬されないという背景もあり、高学歴のエリートを目指す志向が強いようだ。

そんな受験熱が熾烈をきわめる韓国で、とくに人気が高いのは、日本に併合されていた時代につくられた京城帝国大学を前身とするソウル大学だ。

ちなみに、日本の受験生のあいだでは「敵に勝つ」でビフテキやトンカツを食べるなどの合格祈願の習慣があるが、韓国では「志望校に貼《は》りつく」という意味でモチやアメなど、粘着力のある食べ物は縁起が良いとされている。

もっとも、韓国ではあまりに大卒者が増えすぎた結果、大学を出たのに職に就けない者や高学歴フリーターが急増しているという。

中国の大学が日本の大学に追いつく？

中国の大学進学率はまだ20％程度だが、急速に伸びつつある。とくに、香港大学や北京大学は、近年は海外の教育機関との連携を深め、国際的な評価も高くなっている。

イギリスの新聞『ロンドン・タイムズ』による２００９年の世界の大学ランキングでは、香港大学が世界24位で、22位でアジアトップの東京大学に肉薄している。韓国のソウル大学は47位、北京大学は52位だ。ただし、２００６年には、北京大学が東京大学より上位にランクされたこともあり、大差はない。

その日本の進学率は50％台だ。「少子化が進行し、入学志願者は全員大学に入れる時代」といわれ、地方の私立大学では定員割れも起こっている。これからは、大学も学生もこれまで以上に質が問われる時代になりそうだ。

出典:UNESCO「EFA Global Monitoring Report 2009」

教育

02 教員

少子化で質が問われる日本の教師。教育大国なのに教師不足な韓国の謎

年100校ペースで消える北京の小学校

最近、日本の学校では、少子化のため生徒数は減る一方だ。小学校では先生ひとりにつき生徒の数は平均約19人である。多くの学校で「教員余り」の状態になりつつあり、それだけ教師の質に対する目もきびしい時代になってきた。

生徒の数が多そうな印象のある中国も意外に数はあまり変わらず、先生ひとりにつき平均で約18人だ。とくに北京では、少子化とともに小学校の統廃合が急速に進み、2001年以降は、年間になんと100校のペースで小学校が減る年が続いた。

保護者としては、子どもを通わせる小学校がなくなるのはたいへんな事態。だが、教師の受け持ち数が減れば、そのぶん先生の目が行き届いて教育の質が良くなるのではないか、と期待する声もある。

韓国では学校外でも先生だらけ

一方、韓国は小学校の先生ひとりにつき生徒数は平均約26人と、日本や中国よりやや多い。

これは中等教育以降でも同様で、日本では中学校の先生ひとりにつき生徒は14人、中国では約16人だが、韓国では約20人と、日本、中国の1・5倍近い。「教育大国」といわれる韓国にしては意外な数字だ。

すると、韓国では日本や中国にくらべて先生の目が生徒に行き届きにくいのだろうか？ じつは、韓国では日本以上に塾や家庭教師、学外で子どもが所属するスポーツクラブなどの習いごとが普及している。このため、結果的に学校以外でも子どもたちはあちこちで「先生」となる立場のおとなに囲まれているのだ。

もしかすると、韓国の子どもとしては、せめて学校ぐらいは先生の数が少ないほうが都合がいいのかもしれない。

初等教育の教員ひとり当たり生徒数

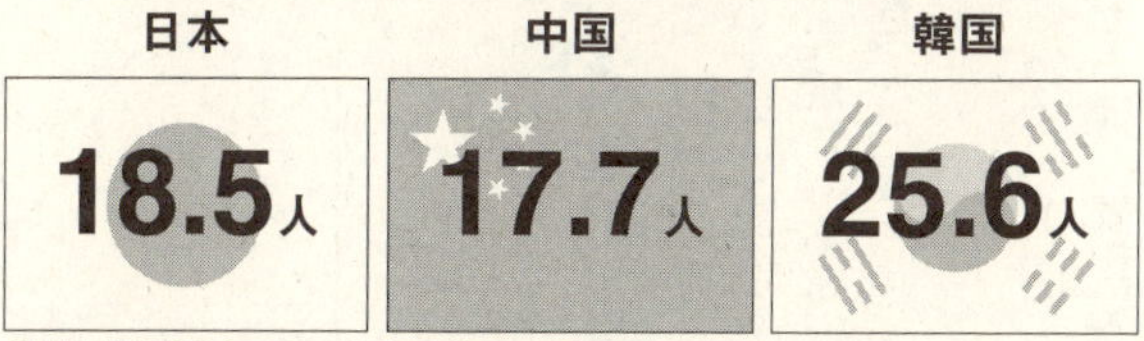

出典:UNESCO, Statistics (Data Centre: Education)

03 識字率

800万人が文字を読めない中国。漢字の種類は、なんと10万字以上！

日本と同じようで異なる中国の漢字文化

日本と韓国の識字率は100％近いが、中国では93％台にとどまる。つまり、人口の6％以上、約800万人がまだ文字を読めない。とくに貧困層の多い辺境の少数民族のあいだで、教育が遅れているためだ。

ところで、中国語はすべて漢字表記だ。世界でもっとも画数が多い文字とされる漢字は、その種類も多く、10万字以上（日本の常用漢字は2100字程度）もある。覚えるのもたいへんなので、画数の少ない簡体文字が登場したわけだ。

オリジナル文字のハングル

中国語の漢字は基本的に表意文字だが、日本語のひらがなとカタカナは、表音文字だ。

朝鮮半島で李氏朝鮮時代の15世紀以降に普及したハングルも、同じく表音文字である。

日本のかな文字は、はじめは女性が使う非公式な文字とされたが、朝鮮半島でも長いあいだ、高学歴階級では漢字が正式な文字とされていた。しかし、戦後の韓国ではナショナリズムの発露からハングルのみの教育が普及した。

ハングル文字は漢字に由来しない完全オリジナルの文字だが、漢字と似た要素がある。母音と子音を表わす「部首」の組

ハングルと日本の50音対応表

아 あ	카 か	사 さ	타 た	나 な	하 は	마 ま	야 や	라 ら	와 わ
이 い	키 き	시 し	치 ち	니 に	히 ひ	미 み		리 り	
우 う	쿠 く	수 す	쓰 つ	누 ぬ	후 ふ	무 む	유 ゆ	루 る	
에 え	케 け	세 せ	테 て	네 ね	헤 へ	메 め		레 れ	워 を
오 お	코 こ	소 そ	토 と	노 の	호 ほ	모 も	요 よ	로 ろ	ㄴ ん

実際のハングルは、全部で90音もあり、日本のひらがなの2倍近い。

み合わせによってできていることだ。母音に当たる部首が10種、子音に当たる部首が14種あり、これをふたつ以上組み合わせることで2000種以上の文字をつくっている。

やっぱり漢字と表音文字の併用が便利？

漢字、かな、ハングルは、それぞれ一長一短がある。漢字は字面だけでも意味が通じやすいが、外来語の訳語をつくるのがむずかしい。音を当てる場合もあれば、意味を当てる場合もある。たとえば「コカコーラ」は「可口可楽」と訳された。これは意味も音も当てている。

日本語は漢字、ひらがな、カタカナの3種類を併用しなければならないのがめんどうだが、外来語は音をそのままカタカナで表現すればよいから便利だ。

ハングルは表音文字なので単純だが、同音異義語の区別がつかないという難点がある。このため、最近の韓国では漢字教育の復活を唱える声も少なくない。

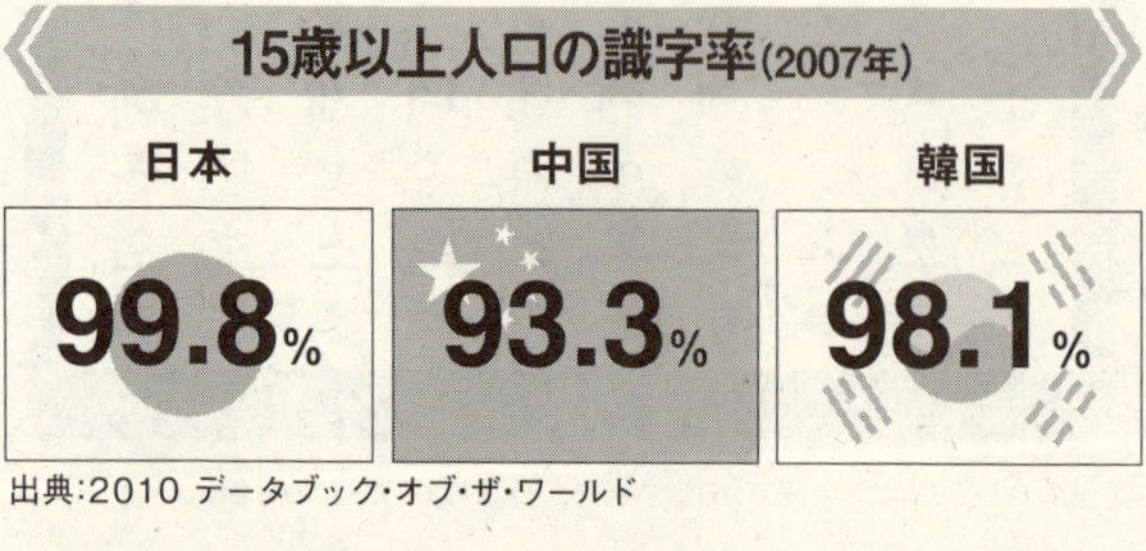

出典:2010 データブック・オブ・ザ・ワールド

教育

04 義務教育

「脱ゆとり」で英語教育が早まる日本。中国では、スパルタ教育が健在！

同学年なのに年齢がちがう？

韓国の新学期は3月1日にはじまる。義務教育の年数は日本と同じだが、ごくまれに成績優秀と認められれば5歳で入学するケースもあり、同学年でも年齢がちがうことがある。

中国の義務教育年数も全部で9年間だが、その内実は日本や韓国と微妙に異なる。小学校は6年制が基本だが、一部には5年制の学校もあり、それに応じて中学校のほうも、4年制の学校と3年制の学校があるのだ。

北京や上海では小学1年から英語教育

日本の小学校では、2011年度から5年生以降は英語が必修となる。だが、じつは韓国では、すでに小学3年生から英語の授業がある。中国も同様で、北京や上海のような都市部では、なんと1年生から英語を教える学校もある。

もっとも、農村部では英語を教えられる教師がいないため、英語の授業がないという小学校もあり、初等教育でも地域格差がかなり大きい。

かつての日本のように、韓国でも宿題を忘れた子どもに対する体罰などがあったが、最近は、状況が変化してきている。体罰を行なった教師が処分されるケースが頻発しているのだ。体

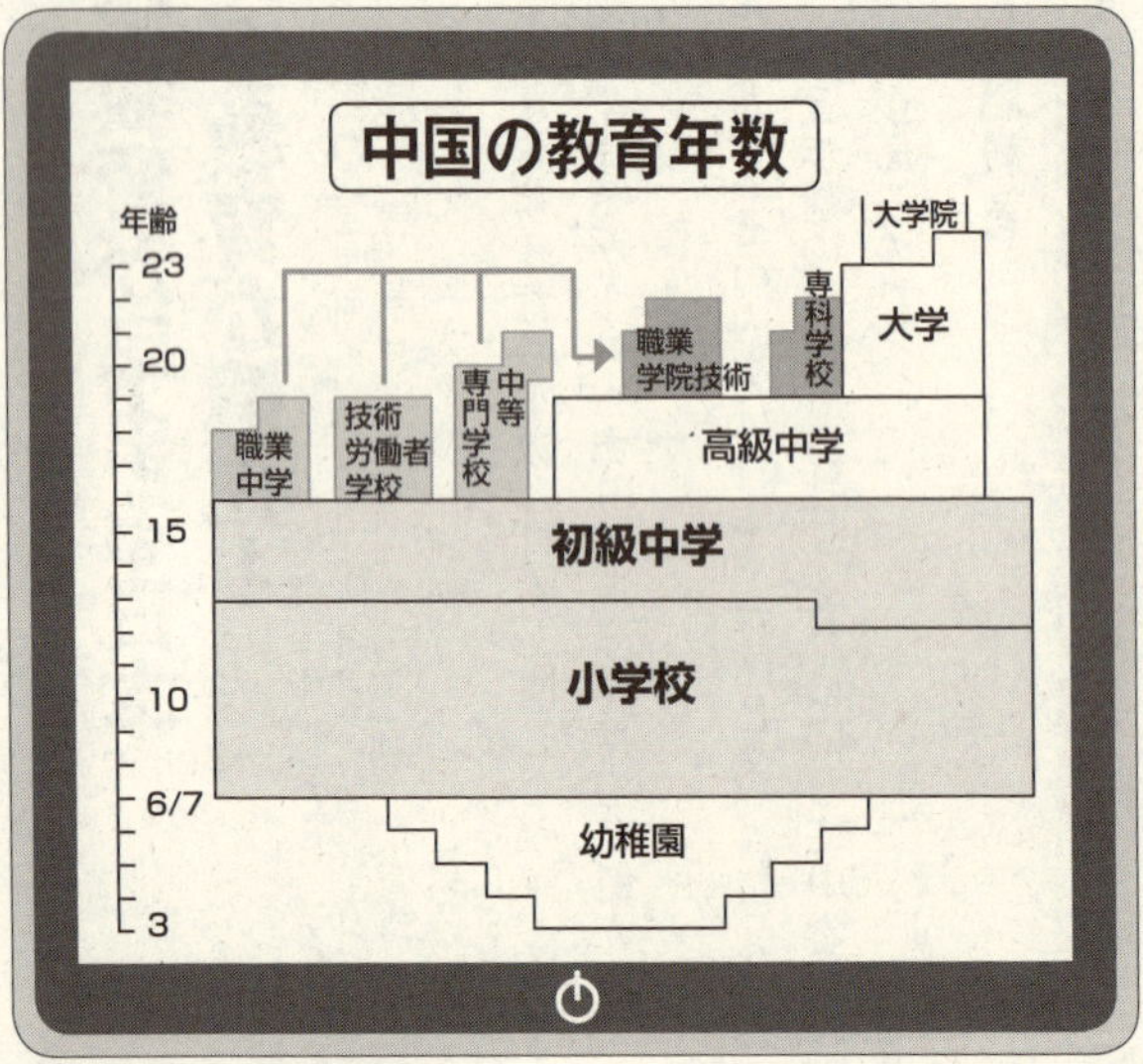

現在の中国は、日本や韓国のように、大学に進学する人が増えている。

罰への見かたは日本よりもきびしくなっている。

中国では、共産党の一党独裁体制だけあって、小学校のうちから社会主義と愛国主義をバシバシたたき込む政治・思想教育が行なわれている。

40%は男女別学という韓国の中学校

中国の中学の特徴は、普通科教育の中学校と、農業や工業の技術者を育成するための職業中学があることだ。この職業中学は、5・6年と教育期間が長い。もっとも、最近は中国でも高学歴志向が高まっているため、職業中学への進学者は減少傾向にある。

さて、私立学校に行かない限り、日本では男女共学が基本だが、韓国では都市部以外では男女別の中学もある。全国での共学率は59%だ。儒教文化の影響が強い韓国では「男女7歳にして席を同じうせず」という硬派な（?）考えかたも根強い。

義務教育の年数

日本	中国	韓国
小学校6年 中学校3年	小学校5-6年 中学校3-4年	初等学校6年 中学校3年

出典：『中国年鑑　2009』ほか

教育

05 いじめ

悪口によるいじめが多い中国の学生。仲間はずれは三国あまり変わらず

悪口いじめは直接的な暴力の2倍

日・中・韓の中学生と高校生に対する調査では、学校で人を殴る蹴《け》るなどの暴力を目にすることが「よくある」と答えた生徒は、日本では約11%、中国では約12%、韓国では約9%だ。中国がやや多いものの、大きな差はない。

日本では、中学から高校に進むといじめは減るものだ。この理由はいろいろあるが、偏差値ごとに学校が別々になることは理由として大きい。極端に落ちこぼれ、極端に優秀など、目立つ人間がいじめのターゲットになることが多いからだ。

直接的な暴力ではないが、悪口で人をいじめるのを「よくある」と答えた生徒は、日本では約17%、中国では約24%、韓国では約19%。もっとも多い中国は、悪口で他人をいじめるのは悪いと考える生徒は90%もいるのに、高校生でも悪口によるい

じめがあるという生徒が半数以上だ。

なお、ひとりを集団で仲間はずれにするというタイプのいじめを「よくある」と答えた中学生は、日本も中国も約11%、韓国は約9%だ。こういうところは、中国、韓国と変わらないようだ。

良くも悪くもハッキリ言うのが中国流？

では、いじめなどの人間関係のトラブルを当事者以外の生徒は、どう考えているのだろうか？

学校で友だちの争いを見たら必ず止めると答える生徒は、日本は約16%だが、韓国は約27%、中国はなんと約40%で日本の倍以上だ。つまり中国では、良い意味でも悪い意味でも、ハッキリものを言う子どもが多いというわけなのだ。

中国の教室では、しばしば壮絶な言い争いがくり広げられているのかもしれない。

出典：社団法人日本青少年研究所　2008年調査

教育

06 塾通い

ソウルでは塾に行かないと仲間はずれ？英会話も小学校入学前から習う韓国

日本をしのぐ韓国の塾&習いごと事情

今、世界でも指折りの教育熱心な親がいる国、それは韓国だ。

小学校4年生から6年生までを対象にした調査によると、東京は、放課後は塾や習いごとに行く子が約59％だ。

教育熱の高いソウルではこの数値を上回る約64％。国語や算数などの学習塾ばかりでなく、テコンドーやサッカーのようなスポーツクラブや、ピアノなどの習いごとをしている子どもも多い。放課後の学校はさぞガランとしていることだろう。このせいで、塾やスポーツクラブに属さなければ、友だちから仲間はずれにされてしまうこともある。

ことに韓国の富裕層は、子どもを小学校への就学前から英会話教室に通わせる。

そのため、小学校の英語の授業では、同学年なのに英語学力のばらつきが大きく、先生が教えかたに困るという話もあるそうだ。

北京の子どもは休日まとめて塾通い

北京では、放課後に塾や習いごとに行く子は約14%にとどまる。もっとも、遊んでばかりいるわけではない。家に帰って「ひとりで勉強する」という子が約66%もいる。

これは、中国の学校の終業時間が遅いためだ。平日は通えないから休日に通うというわけである。

また「家事の手伝いをする」「本を読む」という子の割合は日韓の2倍以上。中国の子どもは、まじめなのだ。

さらに、休日の過ごしかたは「塾に行く」と答えた子が、東京で約19%、ソウルでは約11%だが、北京ではなんと約49%にもなる。子どもの勉強への取り組みという意味では、日本は中国や韓国に後れをとっているだろう。

学校が終わったら塾や習いごとに行く子(2006年)

日本	中国	韓国
58.8%（東京）	14.0%（北京）	63.5%（ソウル）

出典：社団法人日本青少年研究所

NORTH KOREA REPORT 10

北朝鮮の教育

〜北朝鮮では大学生も遊ぶより労働〜

お隣の韓国や日本とは、かなり異なる北朝鮮の義務教育。まず幼稚園の年長組が１年間、続いて初等教育の人民学校が４年間、さらに中高一貫教育が６年間の合計11年。長いのだ。

義務教育だから、もちろんタダ。その代わりに、小中学生のうちから教育を受けつつ労働奉仕の義務がある。小学生の仕事は古紙や鉄クズの回収などだが、中学生になると、大人と同様に労働現場に動員されることもある。

そんな義務教育のあと、大学に入る者もいる。専攻の学科によって４年から６年間ある。やはり大学でも労働奉仕の義務があり、田植えや稲刈りにかり出されることもある。

なお、教育の基本は朝鮮労働党への忠誠や、労働党の掲げる主体思想の学習。近年は、英語や日本語を勉強する学生も増えているそうだ。

環

データ11

日本・韓国・中国の

国土・環境

環

環境対策との両立を迫られる産業

空や海を飛び越えて重大な国際問題となってしまった中国の環境汚染。日本、韓国にも悪影響が……。

●エコ商品があふれる日本

「産業が発展すれば環境汚染が進む」これは、多くの先進国で当然のように起こる現象だ。日本でも、高度経済成長期には、各地で訴訟が起こるなど、公害が深刻な社会問題だった。

しかし近年では、国の政策でも企業の方針でも、エコロジーと産業振興を両立させる動きが広まっている。

これに先鞭《せんべん》をつけたのは、1997年にトヨタ自動車が発表したハイブリッド車「プリウス」の成功だろう。これを機に各社で低公害車の開発が進み、2009年には、低公害車の需要を促進させるためのエコカー減税が導入されている。

同様に、テレビや冷蔵庫などを、より電力消費が少なく、リサイクルが効率的な「省エネ家電」に買い換えることを促進するエコポイント制度も普及している。もはや「エコ」でないものを探すほうがむずかしくなりつつある。

日本・韓国も大迷惑！　中国の環境汚染

経済発展の陰で環境問題が深刻化し、国内どころか世界の問題になっている中国。人口が多く、経済発展のペースも急速なぶん、かつての日本より環境汚染のスケールが甚大だ。

黄河や長江のような大河の水質汚染、二酸化炭素排出量の増加など、多くの環境汚染の問題を抱えているが、なかでもとくに深刻なのは、内陸部の砂漠化である。

じつは、中国の内陸部ではゴビ砂漠のような乾燥地帯がもともと広い。さらに、産業開発のための森林の伐採が進んだ結果、毎年３４００㎢（鳥取県の面積に匹敵）もの土地が砂漠になっている。

近年この砂漠は、なんと北京のすぐ外にまで迫ってきているという。もはや辺境の土地の問題ではなくなっているのだ。

この砂漠地帯の増大で黄砂が発生し、近隣国も迷惑をこうむっている。春先になると内陸部の黄土と呼ばれる砂漠地帯の黄色い砂が、偏西風によって広範囲にまき散らされる現象だ。このせいで、韓国も日本も「洗濯物が汚れる」などの被害が出ている。

また、中国の環境汚染の日本への波及は、黄砂だけではない。

東シナ海では、中国大陸からの工場排水が生態系に異常をきたして、漁業に影響を与えている。東日本での酸性雨には、中国の工場から排出された大気汚染物質が多く含まれているともいわれる。

今や、中国の環境汚染は一国の問題ではない。日本や韓国を含めたアジア全体、いや世界レベルでの対策が考えられるべきなのだ。

国を挙げてエコ振興の韓国

韓国でも、経済発展と環境対策の両立は重要な課題だ。

２００８年に発足した李明博《イミョンバク》政権は、各種の省エネ政策と、クリーン産業の育成を大々的に掲げている。最小限の環境汚染を実現する一方、クリーンエネルギー産業の育成で雇用と経済成長を実現させるという一挙両得が目標だ。

こうした流れを受けて、風力発電、太陽電池事業などを手がけるＳＴＸ社などが急成長をとげた。最近では、廉価な韓国製太陽発電パネルが、世界各地で使われている。

また、韓国を代表する自動車メーカーのヒョンデ・起亜グループは、09年に初のハイブリッド車を発売した。２０１８年までに50万台の販売を目指しており、ハイブリッド先進国の日本としのぎを削ることになるのはまちがいない。

国土・環境

01 気候と気温

夏は東京、北京、ソウルとも同じぐらい。だが、冬の北京は最高気温マイナス7度!?

緯度の差は少なくても冬の気温は大ちがい

同じ東アジアの国々だが、日本、中国、韓国の気候を単純に比較するのはむずかしい。日本と韓国はともかく、広大な中国では、地域によって気候は大きく異なる。ゴビ砂漠のような乾燥地帯もあれば、チベット高原のようなツンドラ気候の地域もあるからだ。ひとまず、それぞれの首都の、東京、北京、ソウルを比較しよう。

いずれも中緯度帯にあり、四季がハッキリしている。緯度は、北京が日本の仙台市と同じぐらい、ソウルは新潟市と同じぐらいだ。すると、東京より夏は涼しそうだが、そう極端な差はない。とくに夏の気温は、3都市ともあまり変わらない。

ところが、冬は北京、ソウルともに東京より10度近く気温が低い。なんと、北海道の札幌《さっぽろ》より寒く、オホーツク海に面した網走《あばしり》なみなのだ。

2010年、北京は記録的な大寒波に見舞われ、なんと日中の「最高気温」がマイナス7度という日もあった。

日本の冬が中国、韓国より暖かいワケ

日本が韓国や中国より暖かいのは、海流の影響があるからだ。太平洋側の日本海流（黒潮）と日本海側の対馬海流というふたつの暖流が流れ込み、暖かい空気を運んでくる。

一方、きびしい冬の寒さに対応するため、韓国では古くからオンドルという暖房が発達し

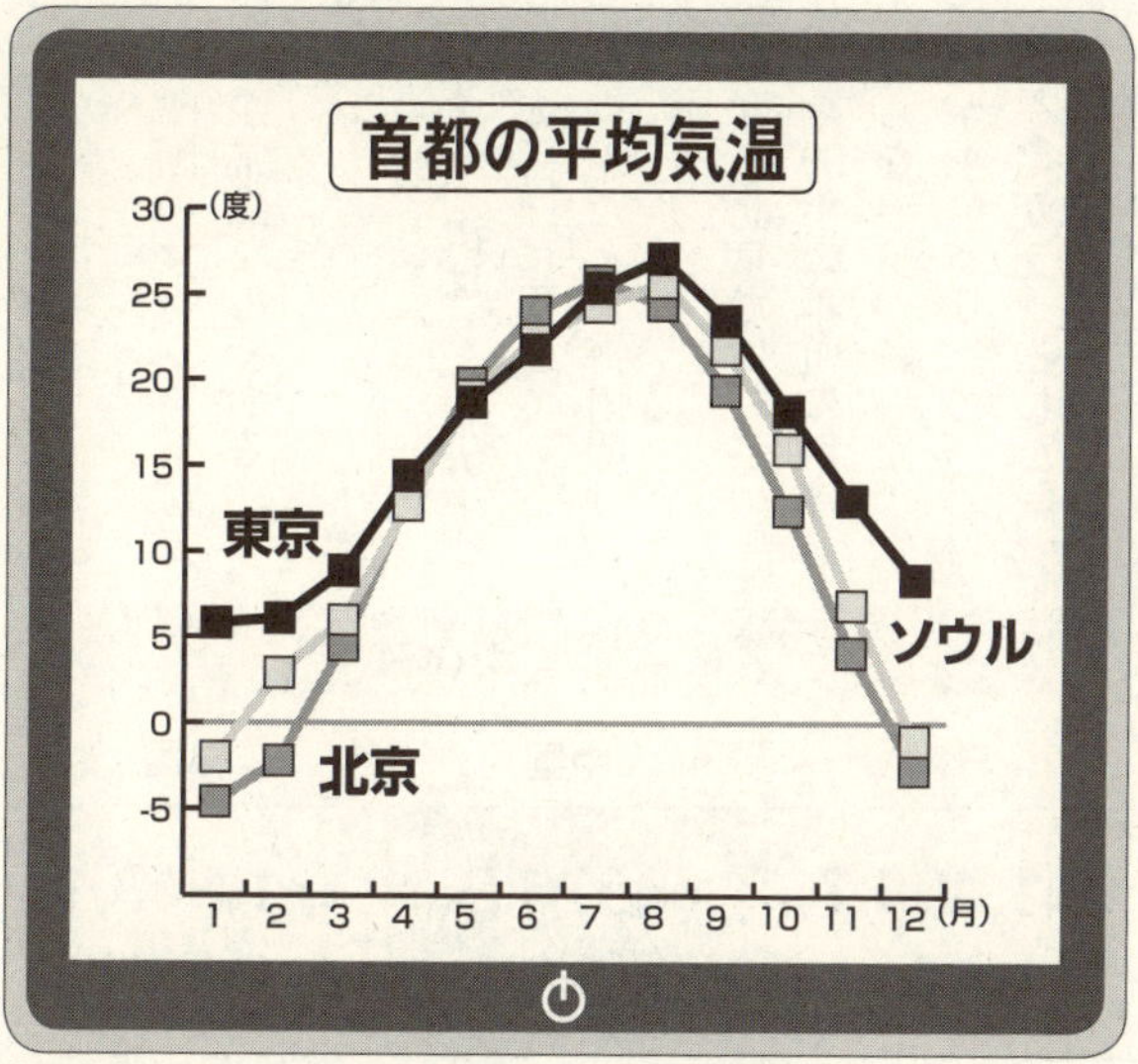

冬の北京とソウルは、氷点下になることもめずらしくない。

た。かまどの暖気を床下にめぐらせて、家屋全体を暖めるというものだ。

薪《まき》や炭を使わなくなった現代でも、韓国のマンションはオンドルの文化を引き継ぐ床暖房完備が常識なのである。

冬は雨も雪も極度に少ない北京

年間雨量を見ると、東京がもっとも多く、次はソウルだ。ただし、雨量のピークが東京は9月。太平洋に面している東京は、台風の影響が大きいのだ。ソウルだと、梅雨明けの豪雨に見舞われる7～8月になる。

一方、亜寒帯冬季少雨気候に分類される北京では、冬の降水量がかなり少ない。08年の晩秋から09年の年頭にかけての時期、なんと3カ月以上も雨の降らない日が続いた。

中国人も韓国人も、日本人より態度がキッパリしているといわれるが、これは寒暖の差が大きく、カラッとした気候に育まれた気質なのかもしれない。

首都の降水量（年間）

日本	中国	韓国
年間1,466.7㎜（東京）	年間575.2㎜（北京）	年間1,343.1㎜（ソウル）

出典：『MSN天気』、気象庁

02 絶滅危惧種

日韓ともに中国からトキをレンタル。絶滅危惧動物がビジネスになる中国

中国頼みのトキの人工飼育

学名「ニッポニア・ニッポン」と呼ばれる鳥のトキは、日本在来のものが一度絶滅してしまったため、中国から贈られたものを人工繁殖させている。トキは、もとは東アジアの広範囲で棲息《せいそく》している鳥だった。だが、人間の土地開発で居場所を失ったり、乱獲によって数が減っている。

トキは韓国でも一度絶滅しており、日本と同じく、現在は中国から〝輸入〟したものが飼育されている。日本や韓国では、ほかにも渡り鳥のヘラシギやズグロカモメなど、共通する絶滅危惧種《ぜつめつきぐしゅ》が多い。

日本の環境省は独自に絶滅危惧生物をカウントしているが、国際的にも認定されたものは、哺乳類《ほにゅうるい》、鳥類、魚類、植物など合わせて300種類を超える。

危機に瀕《ひん》する貴重動物

広大で生き物も多い中国では、じつに日本の2倍以上のおよそ800種もの絶滅危惧種がある。その大半は、メタセコイア杉、クスノキなどの植物だ。

動物では、日本でも人気のあるジャイアントパンダや、『西遊記』の孫悟空のモデルになったといわれる長毛の猿・キンシコウ、チベットに住むシフゾウなどがレッドゾーンに属する。

こうした貴重な生き物たちが、今絶滅の危機に瀕しているのである。

東アジアの名物ともいえる動物たちが、絶滅の危機にさらされている。

絶滅危惧を利用したビジネスも横行

中国政府は、ジャイアントパンダの保護には積極的だ。パンダの生息地として有名な、四川省の臥龍《ウオーロン》自然保護区は、２００８年の四川省大地震で大きな被害を受けてしまった。その後、懸命な手当てもあって四川省のパンダの数は安定し、危機を逃れたと発表されている。

だが、そんな大切なパンダを密猟する不届き者がいる。闇市場で毛皮などが高く取り引きされるためだ。

絶滅危惧種を金儲《もう》けの材料にする人間はあとを絶たない。07年には、陝西省《せんせいしょう》で絶滅危惧の「華南虎《かなんとら》」が撮影されたと報道され騒ぎになった。生きた華南虎の姿は長らく誰も見たことがなかったのだ。結局、ニセ写真でひと儲けを企んだ詐欺事件と判明した。

なんともオソマツな話だが、ある意味、中国では絶滅危惧動物への注目が高まっていることの表れだろう。

出典:UCN Red List of Threatened Species, Version 2009.2

国土・環境

03 自然災害

地震よりも洪水が脅威の中国。朝鮮半島の火山は日本にも影響？

阪神大震災の10倍の被害をもたらした四川大地震

2008年に四川省で起こったマグニチュード7・9の大震災——その死者数はじつに69277人。1995年に起こった阪神・淡路大震災の死者数のじつに10倍である。

さまざまな地形と気候が入り乱れる中国は、天災被害が多い。だが、人口100万人当たりの死者数を比較すると、日本、韓国が2・9人、中国は1・9人と少ない。災害とは無縁な土地も、案外多いのかもしれない。

一方、地震大国の日本は、災害死者の80％近くがやはり地震によるものだ。また、韓国ではそもそも地震が少ないため、死者がほとんどいない。このため、高層ビルをどんどん建てることができるのだ。

ちなみに中国では、洪水の死者が70%近くをしめる。これはやはり、自然破壊による影響があるだろう。森林が減ると土地の保水力が低下し、洪水が起こりやすくなる。

過去にも日本に影響した白頭山《ペクトサン》の噴火

韓国では、近年、大規模な自然災害はない。しかし、北朝鮮と中国の国境地帯にある白頭山が数年中に噴火する可能性があることを２０１０年に韓国内のメディアが、指摘している。白頭山は過去に約１００年周期で噴火を起こしており、前回の噴火は１９０３年だった。

もし本当に白頭山が噴火したら、大量の火山灰が日本列島にも降りそそぐと見られている。２０１０年のアイスランドでの火山噴火で、ヨーロッパの空の便が乱れたように、日本や韓国でも欠航や空港閉鎖となる可能性がある。

日本人にとっても、「対岸の火事」ならぬ「対岸の火山」ではすまないというわけだ。

1980〜2000年の年間平均災害死者数

日本	中国	韓国
351人	2,173人	124人

出典:UNDP「REDUCING DISASTER RISK:A CHALLENGE FOR DEVELOPMENT」

04 CO_2排出量

排出量世界一の中国。日韓は小資源国ゆえ対策に敏感

最大の排出国が温暖化ガス削減に参加しない皮肉

中国による二酸化炭素の排出量は、年間60億トン以上におよび、2007年にはアメリカを抜いて世界1位となった。ちなみに、日本は12億トン以上、韓国は約5億トンなので、中国の排出量は日本の5倍弱、韓国の12倍以上となる。

これだけ二酸化炭素排出量が多いのは、中国経済が急成長をとげているなか、それを支える電力の80%近くが、石炭による火力発電でまかなわれているためだ。中国の石炭埋蔵量は1145億トンにもおよび、国内需要には困らない。

その一方で中国は、日本や韓国のほか先進国のほとんどが批准している、温暖化ガス削減の義務を定めた「京都議定書」に参加していない。

これは「中国はいまだに途上国だから、排出量が増えるのもしかたない」という

主張によるものだ。

加えて、中国内での世論はまだまだ環境問題への関心が低いためでもあるだろう。

日本と同じく低炭素・低燃費路線の韓国

温暖化といえば、韓国では「ソウル市の平均気温は90年間で2・5度上昇した」とされ、環境問題を気にする声も出はじめている。

2008年、韓国の国家エネルギー委員会は「低炭素・グリーン成長」のために、化石燃料の使用低減、太陽光や風力など再生可能エネルギーの導入拡大、さらには自動車の燃費改善や白熱電球の蛍光灯への切り替えまで細かく目標数値を発表した。

これは、韓国も日本と同じく資源は輸入に頼るため、化石燃料の使用を減らすことは真剣な問題、という事情も影響しているようだ。

二酸化炭素排出量(2007年)

日本	中国	韓国
12億3,630万トン	60億2,790万トン	4億8,870万トン

出典:OECD/IEA, CO2 Emissions from Fuel Combustion 2009 Edition

05 原子力発電

海岸沿いに原発がズラリと26基！中国が急ピッチで開発を進める理由

民間よりお役人がリードした韓国の原発推進

早いもので、日本の原子力発電は半世紀近い歴史をもつ。原子力発電所の商業運転がはじまったのは１９６３年。現在は、全国で53基の原子力発電所が稼働しており、これは世界第3位だ。石油や天然ガスなどの天然資源に乏しく、近年は火力発電による温室効果ガス削減のため、原子力発電が推進されている。

日本の原子力発電はもっぱら民間の電力会社によって「現場から」進められたが、韓国のエネルギー政策は、長いあいだ「国から」だった。韓国での原発の商業運転がはじまったのは77年のことで、当時はまだ軍事政権である。その後は、２００１年まで国有の発電会社ＫＥＰＣＯが原子力発電を主導した。

韓国で稼働中の原発は20基だが、発電にしめる原子力の割合は、日本の27・５％

に対し、韓国では35・3％におよぶ。

韓国も日本と同じく資源は輸入に頼るため、２０３５年までに石油などによる火力発電を減らし、発電量の60％を原子力にすることを目指しているのだ。

中国でも「脱石炭」が今後のトレンド

一方、中国で稼働中の原発は11基、発電にしめる割合もまだ1・9％だ。中国は石炭が豊富なので、火力発電が約80％をしめている。

とはいえ、火力発電による温室効果ガス排出による国際世論の非難は大きい。

電力需要が急速に伸びる中国では、石炭依存を脱するべく、現在26基もの原発の建設が進められている。その建設地は、産業発展の進んでいる浙江省や福建省などの沿岸部に集中している。ズラリとならぶ原子力発電施設に、現地の人びとは何を思うのだろう。

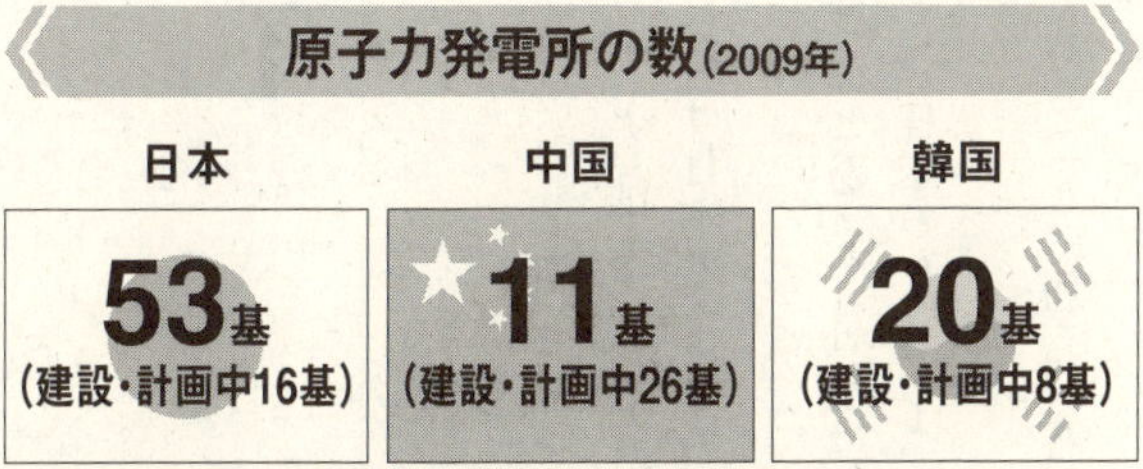

出典：『世界の原子力発電開発の現状』日本原子力産業協会

国土・環境

06 石油

工場が乱立する中国でも石油消費量は、まだ日本の6分の1

ひとり当たり石油消費はまだ少ない中国

日本の石油の消費量は年間で約1億9939万トンにおよび、韓国もこれに近い量で約1億1844万トンだ。経済が急成長中の中国では、さぞや石油も多く消費されているだろうと思われるが、約3億2249万トンで、じつは日本の1・5倍ほどにとどまっている。

この数字をひとり当たりの消費量で見るとさらに差は歴然となる。日本は1580キロ、韓国は2452キロ、中国はわずか245キロと、日本の6分の1、韓国の10分の1しかない。これはなぜか?

じつは、中国ではいまだ埋蔵量の豊富な石炭が燃料の主流であることに加え、石油を使う自動車の普及率などは、まだ先進国なみでないためのようだ。

では、韓国のひとり当たり石油消費は、なぜ多いのか？

年間ひとり当たりの消費電力量は、韓国が日本を少し下回る程度で、さらに日本も韓国も、発電にしめる火力の割合は約60％とあまり変わらない。だが日本では、価格が安いため火力発電に石炭を燃料とする割合がまだまだ大きいのである。これも意外な事実である。

日本にもちょっとだけある油田

ちなみに、中国は22億1200万トンもの石油埋蔵量があったが、経済の発展とともに石油の消費量が増大した結果、１９９３年から石油輸入国に転じている。

じつは日本にも、新潟県などに約９００万トンの石油埋蔵量があるが、生産性はきわめて低い。

近年は日本の東シナ海の海底油田開発が進められているが、埋蔵地域が日中両国の領海にまたがるため、摩擦のタネにもなっている。

石油の消費量(2006年)

日本	中国	韓国
ひとり当たり 1,580kg	ひとり当たり 245kg	ひとり当たり 2,452kg

出典:UN, Energy Statistics Yearbook 2006

NORTH KOREA REPORT 11

北朝鮮の自然災害

木を切りすぎて水害が多発

たびたび大規模な水害が発生する北朝鮮。近年では、2006年７月に平壌のすぐ近郊で、1973戸もの家屋が流され、50人以上の犠牲者が発生した。海外では、全国での被災者は１万人以上にもおよぶと推定されている。

こうした水害は、なかば人災だともいわれる。もともと北朝鮮は山地が多く、農業に適した土地が少なかった。そこで、多くの山林を伐採して農地を増やしたのだが、山地の保水力が低下して、洪水が起きやすくなってしまったのだ。

そして、例年のような水害が農業への深刻な被害を招き、食糧難の原因にもなっている。日本にも人道上の食糧支援が求められているのだが、平壌の朝鮮労働党幹部のあいだでは、平然と牛肉やマグロなどの高級食材を口にしている人間も多いというのだから、あきれた話である。

政

データ 12

日本・韓国・中国の

政治

政

中国と韓国は日本より不自由な国か？

都市の発展ぶりや若者の姿は日本と変わらない中国と韓国。だが、日本にくらべて自由は制限されている。

●中国、韓国とのギャップが大きい日本

日本では戦後、平和主義と、国民主権、人権尊重を掲げた憲法がつくられ、現在まで民主主義政治が定着している。以上は空気のように当然のことだが、日本と中国、韓国を比較するうえでは、けっこう重要なことである。

欧米列強による植民地化が進んでいた第二次大戦前のアジアで、いちはやく近代的な産業と軍事力を発展させた日本は、台湾や朝鮮半島、中国大陸の一部を支配下に置いた。これが遠因となり、今も中国や韓国には反日感情が根強く残っている。

戦後の日本は、日米安保体制の下でアメリカの保護を受けな

がら、軍事ではなく経済で国力を拡大させて発展をとげてきた。

そして、世の中が豊かになるにつれて、国への忠誠より個人の自由を尊重する価値観が優先されている。愛国心のアンケートをすると、日本は非常に低いのだ。

だが、植民地化された経験をもつ中国と韓国は、外国に対する警戒心が根強く、戦後も軍事が政治に大きく影響してきた。こうしたちがいが、軍事力の差や価値観のギャップの原因にもなっている。

社会主義だけど不平等な中国

共産党の一党独裁による社会主義体制が1949年にはじまった中国。社会主義は本来、金持ちによる貧乏人の搾取を否定して平等を唱えるが、現在の中国は格差社会。矛盾している。

これは、78年に経済開放政策が導入されたことに端を発する。それまでは産業は基本的に国営で、日本や欧米との交易も少なかったのだ。

さらに、91年には同じく社会主義だった旧ソ連が経済の不振で崩壊した。これが決定打となり、中国は共産党政権を維持したまま、日本や欧米と同様の競争主義を大々的に進めたわけだ。

この政策がようやく効を奏し、今まさに空前の好景気となっている。ただ、経済は自由化されても、政治的には不自由の多いのが中国の特徴でもある。共産党を批判する勢力や、独立を主張するチベット、東トルキスタン（ウイグル）などの少数民族はきびしい弾圧の対象となっている。

中国では死刑執行件数も犯罪件数も多い。このことは政府の過酷な施策と、それに抵抗する人間の多さを物語っている。

80年代まで軍事政権が続いた韓国

日本と同じく社会主義とは敵対する陣営に属してきた韓国だが、政治的には不自由な期間が長かった。第二次大戦後、朝鮮

政

半島は、社会主義の北朝鮮と韓国が独立した。ともに半島の統一を掲げる両国のあいだで朝鮮戦争が勃発し、１９５３年に休戦が成立したが、国際法上戦争は終結していない。南北の軍事境界線としてニュースにたびたび登場する板門店《ハンモンテン》の警備に立つ兵士はつねに臨戦態勢だ。

　軍人が政治に深くかかわっていた61年には、朴正熙《パクチヨン ヒ》将軍がクーデターを起こし、以降80年代まで、軍人が大統領をつとめる時代が続いた。このあいだに経済は発展したが、言論の自由はきびしく制限されていた。

　そんな韓国で民主化が進むきっかけとなったのは、88年のソウル五輪だ。オリンピックで海外からの注目が集まり、日本をはじめ諸外国との交流も進んだのである。

　現在は日本とさほど変わらないように見える韓国だが、依然として北朝鮮の脅威があるため、若者は徴兵に応じて国家のために尽くさなければならないという価値観があるのだ。

政治

01 成人年齢

「お酒は20歳から」は日本だけ!? 成人年齢のビミョーなライン

新たな成人年齢は「19歳」の韓国

日本の成人年齢は、もちろん満20歳。お酒も選挙権も20歳からで、罪を犯しても19歳までは少年法の対象となる。

もっとも、近年ではイギリスやフランスなどの先進国のように、いずれ成人年齢を18歳に引き下げてはどうかという議論が活発化している。

韓国の成人年齢も、日本と同じく満20歳だ。ただし、19歳以上なら酒もタバコも買える。また、韓国では満17歳になると「住民登録証」が発行され、これを手にすることで「大人の仲間入り」をしたとみなされるという。なかなか複雑なシステムである。さらにややこしいことに、韓国では成人年齢を19歳に引き下げようという論議がある。なぜ18歳ではなく19歳？　それは、高校生が政治にかかわり投票するのには問題があると考えるためだ。

一方の中国は、選挙権が18歳から。ただし、飲酒の年齢制限は明文化されていない。つまり、少年でも大人とのつきあい酒は黙認、ということなのだろう。

成人しても結婚できない？　中国

ところで、婚姻可能な年齢は、日本も韓国も同じく男性は18歳、女性は16歳だ。ところが中国では、やたらときびしい人口抑制政策をとっているためか、男性は22歳、女性は20歳と、やや高めの設定。成人しても、結婚はできないという状況だ。

ちなみに、日本、中国、韓国とも婚姻可能な年齢に男女差があるが、欧米では男女とも同年齢としている場合が多い。東アジアでは家父長的な儒教の価値観から「男は妻子を養える年齢になってから結婚するべき」という考えが前提にあるのを反映しているようだ。

選挙権の得られる年齢

出典:国立国会図書館／立法考査局資料

政治

02 死刑

年間1700件も死刑が執行される中国。制度はあるが事実上停止中の韓国

死刑手段のみ少しだけ改善の中国

現在、EUやアメリカの一部の州など、先進国では死刑制度の廃止が増えているが、日本、中国、韓国では、いずれも死刑制度が存続している。とくに中国は死刑の執行回数が世界ダントツトップ。その実態は外部に公表されていないが、海外の人権団体の調査では、2008年には少なくとも約7000件の死刑判決が確定し、1700件の死刑が執行されたと推定されている。

死刑の執行方法は日本、韓国が絞首刑だ。中国ではかつて、銃殺刑が一般的だった。銃殺刑は集団で行なわれることもあり、かなり残酷だ。だが、昨今の国内外の批判を受けてか「銃殺よりは人道的」な手段として、致死薬品の投与による執行が増えている。

かたや日本では、08年には15人の死刑が執行された。これは1975年以来では最多だ。また、現在も100人以上の死刑囚がいる。

死刑の廃止、存続には多くの論議があり、09年から導入された国民参加の裁判員制度が死刑制度にどんな影響を与えるかが注目されている。

10年以上死刑は止まったままの韓国

死刑制度について中国と反対の立場をとるのが、韓国だ。現在も58人が死刑囚として収監中だが、死刑の執行は97年以来行なわれておらず、海外からは事実上の死刑廃止国とみなされている。なぜ死刑を執行しないのか？

韓国の国民感情は、未成年者への性犯罪など凶悪犯罪には厳罰を求める傾向が強い。しかし、同時に人命尊重的なキリスト教徒の国民や政治家も多く、それが法曹界にも影響を与えているためのようだ。

出典：『アムネスティレポート　世界の人権　2009』

政治

03 愛国心

戦争に対する覚悟のある日本人は、中国と韓国の5分の1しかいない

先進国のあいだでも歴然と低い日本の愛国心

ハッキリいって、日本人の愛国心は低い。「自国民であることにほこりを感じる」という人は、中国では約76％、韓国は約89％だが、日本では約57％しかいないのだ。

これには、戦争が影響している。日本は戦争に敗れたことで、それまでの愛国教育を一度否定しなければならなくなった。GHQが許さなかったのである。

対照的に、共産党の一党独裁が続く中国、1980年代までは軍事政権だった韓国も、戦後は徹底した愛国教育が行なわれてきた。

近年では、中国や韓国の過剰な愛国心と結びついた反日感情が問題になることも多い。なお「戦争が起こったら国のために戦う」という調査では、さらに差が歴然とする。中国では約76％、韓国では約72％だが、日本はわずか約15％にとどまる。

現実に戦争が起こったら、日本はどうなるのか……。

中国や韓国では、強い愛国心の背後に国防に対するリアルな覚悟も備わっている。両国とも徴兵制度がある（ただし、中国では現在志願兵のみで軍の定員は足りている）ことが大きく影響しているのはまちがいない。

豊かさでしだいに弱まる国防意識

かたや、日本人はいまだ侵略的とする中国や韓国の見解とは裏腹に、現在の日本人は、戦後の平和憲法の価値観がすっかり定着している。よくいえば争いを好まず、悪くいえば保身的で臆病《おくびょう》と見られてもしかたがない。

ところで、中国と韓国の「戦争が起こったら国のために戦う」という人の比率は、じつは、1995年から2005年のあいだに約20%も低下している。両国とも、これから平和で豊かな状態が続けば、しだいに愛国心が薄らいでゆく可能性もある。もちろん、日本も同じなのだが。

自国にほこりを感じる人

日本	中国	韓国
57.4%	75.7%	88.5%

出典：『世界主要国価値観データブック』

政治

04 犯罪

中国の犯罪件数は日本の2・5倍？振り込め詐欺犯が年7000人検挙！

人口比では日本は中国より犯罪大国？

犯罪の比較はむずかしい。国ごとに、統計の取りかたや警察への事件の認知のされかたも人口当たりの警察官の数も、どれぐらい捜査するかもちがうからだ。

日本は治安がよい国と思われているが、はたしてどうか？

公表されている犯罪件数は、日本は約191万件、中国は約475万件、韓国は約172万件だ。数字だけ見ると、なんだか日本も物騒に見える。だが、日本の犯罪の約75％は窃盗犯で、これは万引きや置いてある自転車の盗難といった軽犯罪も含んでいる。殺人などの凶悪犯や暴行などの粗暴犯は、合わせて8万件ほどだ。

かたや中国では、秩序に対する罪、暴力、公務執行妨害といった「治安事案」なるものが300万件以上、韓国では「暴力犯」が約30万件もある。

振り込め詐欺が急増する中国

中国と韓国では、バイオレンスな犯罪ばかりでなく、現代風の頭を使った犯罪も増加している。韓国では、インターネットを使った麻薬取引や請負殺人、ハッキングなどだ。

とくに中国では、「振り込め詐欺」が増えている。2009年から翌年にかけて、中国全土では、電話や電子メールを駆使した詐欺犯が7000人も検挙された。手口は日本の振り込め詐欺とまったく変わらない。

三国ともに、巧妙な手口で金銭を奪う犯罪が増加傾向にある。

政
政治

上では腐敗が下では貧困が犯罪を生む

近年の中国では「黒社会」と呼ばれる組織犯罪が、地方権力にも食い込んでいる。重慶市では、共産党の公安局などの幹部が、売春、賭博《とばく》、麻薬密売などにかかわる犯罪組織のボスとわかり、関係者2000人あまりも検挙されるという騒ぎになった。

権力腐敗の裏で、広まる格差と貧困のため犯罪に走る人間も多い。福建省《ふっけんしょう》などの一部の貧しい村では、日本へ「出稼ぎ犯罪」に行く者さえいる。

福建省では、なんと日本でのピッキングで稼いだ金で家を建てたという者もいるが、その近隣の住民は、自分がピッキングの被害にあったら、村じゅう総出で犯人を探し出し、見つけたら袋だたきにするという。

とかく警察を頼りにしがちな日本人とは対照的に、中国の人は良い意味でも悪い意味でも図太いようだ。

刑事事件の件数（2007年）

日本	中国	韓国
190万8,836件	474万6,000件	171万9,075件

出典:外務省「各国情報」　警視庁ほか

政治

05 領土問題

小島から海の底まで大モメ！日中韓の領土は、なぜあいまい？

日韓の一致した解決策は「竹島爆破」!?

日本と韓国のあいだの領土紛争といえば、島根県沖の竹島（韓国名は独島《トクド》）だ。明治時代の1905年に日本領とされた竹島だが、日本が戦後アメリカの占領を受けていた当時の52年、韓国が一方的に自国の漁業水域に編入した。その後は、日韓双方の漁船が竹島近海に入り乱れるというあいまいな状態が続いた。

2005年、島根県が日本による領有100年を記念して「竹島の日」を制定したことに韓国の盧武鉉《ノムヒョン》政権（当時）が反発したことから、争いが再燃している。

日韓双方で言い分がぶつかっている竹島問題。かつて、日本右翼の大物として知られた赤尾敏《あかおびん》も、韓国の元国務総理の金鐘泌《キムジョンピル》も「日韓友好の妨げになるなら、竹島（独島）は爆破してしまえ！」という、まったく同じ意見を述べている。

東シナ海では海底のお宝で日中が衝突

日本と中国および台湾（中華民国）のあいだでは、沖縄の奄《あま》美《み》大島沖合の尖閣《せんかく》列島（釣魚島ほか）が争いのタネだ。

尖閣列島は、明治時代に日本領とされたが、アメリカ軍による戦後占領期の終わりに際し、中国、台湾が領有を主張した。96年以降は、とくに漁業権などで三国が衝突している。

また、東シナ海には日中双方の排他的経済水域にまたがった海底油田・天然ガス田がある。

地図で見ると、竹島は日本と韓国からほぼ等距離の海上に位置している。

中国は大陸棚の先端まで自国の採掘権がおよぶと主張しているが、日本は中間線までを主張し、領土問題は海底のさらに地下におよんでいるという状態だ。

北朝鮮を飛び越えた中国と韓国の間島《かんとう》問題

じつは、直接には国境を接しない中国と韓国のあいだにも、領土に関する認識のズレがある。

1910年の韓国併合のとき、豆満江《とまんこう》、鴨緑江《おうりよくこう》が中国と朝鮮（韓国）の国境と決まった。しかし、その北の間島地方には、今も約200万人もの朝鮮族が住んでいるのだ。

かつて朝鮮半島で紀元前1世紀から7世紀まで続いた高句麗王朝は、間島の一帯も支配していた。このため、韓国では「北朝鮮はもちろん間島地方もうちの土地」という見解があるのだ。中国と韓国の歴史の教科書では、おたがいにゆずらず「高句麗は古代中国の地方王朝」「高句麗は朝鮮の王朝だ」と書いている。今後に注目だ。

三国のおもな領土問題

日・中間　尖閣列島問題、東シナ海
日・韓間　竹島（独島）問題
中・韓間　間島問題（中朝国境地帯）

政治

06 軍事力

兵員は10倍差だが中国に迫る日本の軍事費。しかし、軍にお金がかかるのは韓国？

ハイテク装備合戦で軍事費は増大傾向

東アジアにおいて、中国が屈指の軍事大国なのはいうまでもない。何しろ核保有国で、その兵員数は220万人以上と、日本の自衛隊の10倍近い。

ところが、軍事費の金額だけを単純比較すると、中国は日本の5％増し程度だ。これには通貨レートの問題もあるが、それだけではない。

日本の自衛隊の装備は、国産品は生産数が少ないぶんだけ単価が割高になり、アメリカの開発したものを国内で生産している戦闘機などはライセンス費用が高額だ。加えて、近年は北朝鮮の脅威に備えるミサイル防衛のため予算が増大している。

この点、中国の人民解放軍は長らく「質より量」だった。しかし、近年は日本やアメリカと同等のハイテク装備を増やすために軍事費を拡大傾向で、ロシア製の最新式戦闘機を増強したり、海軍ではあらたに空母の建設までも進めている。

中国の軍備増強は、日、韓のみならず欧米にも脅威を与えているのはまちがいない。

やはり今も臨戦状態の韓国

一方、韓国の軍事費は日本の約60％ほどだが、GDPにしめる割合は2・7％で日本の3倍となる。

これはやはり、韓国は軍事境界線で対峙《たいじ》する北朝鮮と一触即発の状態（国際法上は休戦だが平和条約は結ばれていない）が続いていることが大きい。

国民にしめる軍人の割合でも、日本は約0・16％、中国は約0・18％とあまり変わらないが、韓国は約1・4％と、格段に高い。日本の自衛隊は国民の日に触れにくいが、今も徴兵制がある韓国では、軍隊は国民にも身近な存在なのである。

出典：『ブリタニカ国際年鑑2010』ブリタニカ・ジャパン

NORTH KOREA REPORT 12

北朝鮮の政治

平壌は「仮」の首都⁉

なんと、かつて北朝鮮では「韓国」という国は存在しないことになっていた。韓国は「南鮮」と呼ばれていたのである。北朝鮮と韓国がそれぞれ「大韓民国」「朝鮮民主主義人民共和国」という国の存在を公式に認めたのは、1991年。そろって国連に加盟したときのことである。

それまで、北朝鮮と韓国は、おたがいに朝鮮半島には自分たちの国しかなく、相手の地域は不当な占領を受けた地域と主張していた。このため、北朝鮮では72年に社会主義憲法が定められるまで、形式上の首都をソウルとしていた。南北に分断される以前、半島全体の首都はソウルとみなされていたためだ。

つまり平壌は、真の首都ソウルを奪還するまでの仮の首都という位置づけ。今となっては、実現しそうもない話である。

運

データ13

日本・韓国・中国の

運輸・交通

運

ますます狭まる東アジアの交通網

急速に開発が進む広大な中国の交通網。韓国では、産業の発展を受けて貨物輸送が増大している。

●リニア開発が進む日本

日本では戦後、公共事業の一環として交通網の整備が急速に進んだ。鉄道も道路も十分に普及しているが、近年はさらに、従来の新幹線に加えて、東京〜大阪間を1時間で結ぶ超電導リニアモーターカーの開発が進められている。開業のあかつきには、世界初の時速500キロ台の特急となる。ただ、予算の確保や、南アルプス一帯でのトンネル工事、騒音対策など課題も多い。

活発な陸上輸送に対し、航空では、近年は採算のとれない地方空港が続出したり、原油高による燃料価格の高騰を受けて旅客、貨物ともに利用が減少ぎみになるなど不調だ。

しかし、首都圏にある羽田空港を沖合に移転させて拡張したうえで24時間稼働できるようにすることで、国際便の受け入れ本数を増やすなど、航空輸送の巻き返しがはかられている。

空前の海外旅行ブームの中国

ここ数年の日本では、海外旅行者の数は横ばいだが、中国ではバブル時代の日本のように、海外旅行者が年々増えている。この背景には、外国観光への「飢え」が大きいようだ。

長らく中国では、移動の自由が制限されていた。国民の海外旅行が自由化されたのは、やっと1997年のことだ。

国内でも、原則としては住む場所を自由に移動することは許されていなかった。ただし、こちらも現在では、農村部から都市部への出稼ぎの増加で、有名無実化している。

従来、あまり人が移動することはなく、国土がやたらと広い

中国は変わりつつある。

もともと中国は国内の鉄道や道路も、主要な路線以外は発達していない部分が多かった。内陸の奥地へ行くと、鉄道が電化されていないため、今でもレトロな蒸気機関車が走っているという地域も少なくない。

だが近年では、経済発展にともなう産業輸送の拡大や、北京五輪、上海万博などを契機とした旅行ブームもあり、国内のあちこちで新しい交通網の整備が急速に進んでいる。

たとえば2006年には、これまで鉄道の通っていなかったチベットにも、海抜約2000〜5000メートルの高地を走る青蔵鉄道が開通した。35年には、全長8万5000㎞におよぶ道路網が完成する予定だ。

韓国と中国を結ぶ輸送が増大

じつは韓国も、長らく国民は自由に海外に出かけることがで

運

きなかった。海外旅行の自由化は1989年のことだ。中国より10年ほど早いが、それでも日本よりははるかに遅い。そして近年、海外旅行者は増加傾向にある。

また、観光旅行ばかりでなく、経済活動のための海外との交通も急速に活発化している。

たとえば、仁川《インチョン》国際空港の貨物輸送量は、すでに日本の成田国際空港の輸送量を超えた。

これには、中国の経済発展にともなって、アジアでの航空貨物輸送の中継点となるハブ空港としての需要が伸びている点も大きいようだ。

海運についても同じで、近年は釜山《プサン》をはじめとする貿易港と中国の沿岸部を結ぶ貨物輸送が増大している。

韓国の交通網にとっては、北朝鮮を経由すれば、鉄道や道路を用いて中国大陸へ陸路での輸送も可能なのだが……。さすがにこれはまだ無理だろう。

運輸・交通

01 鉄道

高速鉄道の急開発が進む中国。その土台は日本が残した線路

広大な中国でも線路は日本の2・3倍

中国で営業している鉄道線路の総距離は、韓国の約19倍におよぶ。さすが広大な中国、と思うところだが、日本とくらべると約2・3倍だ。日本は国土の広さの割にずいぶん鉄道網が発達した国ということになる。

とくに、1964年に東京と大阪を結ぶ東海道新幹線が開通して以来、日本の新幹線の技術は、海外でも高く評価されている。

韓国でも、2004年にはKTX（韓国高速鉄道）が開通し、それまで4時間半かかっていたソウルと釜山のあいだを、2時間40分で結ぶことになった。

ちなみに、このKTXの各駅では、駅弁の焼肉弁当やトンカツ弁当をホカホカの状態で食べられるよう電子レンジで温めてくれるサービスがあるという。

高速鉄道で所要時間は3分の1以下に

経済成長にともなう主要都市間の輸送拡大を背景に、2006年から、北京と上海を結ぶ高速鉄道、京《けい》滬《こ》旅客《りょかく》専用線《せんようせん》の建設が進められている。

さらに最近の中国では各地で「高鉄」こと高速鉄道の敷設が進んでいる。2009年には華南地方に時速350キロをほこる武広高速鉄道が開業し、それまでの武漢から広州まで10時間かかっていたのが、一気に3時間で行けるようになった。

沿岸部や大都市の近隣では、かなり網羅されているが、内陸部は未発達だ。

戦前、戦中に日本が中、韓に残した線路

中国も韓国も在来線の線路の幅が広く、新幹線と同じサイズだ。つまり、一両当たりの輸送量も大きい。

じつは、これは日本が残したものである。20世紀初頭に日本が大陸につくった満鉄（南満州鉄道株式会社）は、満洲（現在の中国東北部）で鉄道事業を行なった。ここでは広大な土地を生かし、日本で導入できなかった国際標準軌（通常より広いレール）を採用したのだ。満鉄はじつに1万キロ以上もの線路を敷設し今も中国に残っている。

1910年に日本による韓国併合が行なわれて以降は、朝鮮半島の鉄道にも国際標準軌が採用され、韓国の独立後もそれが引き継がれたのだ。戦時中には、対馬《つしま》海峡にトンネルを掘って日本から朝鮮半島と中国大陸を直接結び、さらにシベリア鉄道でヨーロッパに至るという計画も存在していた。恐るべき、日本の戦略である。

鉄道の営業キロ(2007年)

出典:The World Bank, World Development Indicators 2009

02 交通事故

交通マナーの評判が悪い中国と韓国。日本は自転車事故が多発

事故入院者が日本の8倍以上の韓国

年間の交通事故の発生件数では、車社会の先端を行く日本が中国の約2・5倍、韓国の約4倍と、日本、中国、韓国の三国のなかではいちばん多い。

ところが、事故死者の発生率を見ると、日本が10万人あたり5・2人に対し、韓国は12・7人で、日本の2倍以上にのぼっている。

とかく韓国のドライバーは運転が荒く、都市部でも夜間であれば時速100キロものスピードで飛ばす車がめずらしくない。韓国の損害保険協会の調査によると、国内で交通事故のために入院する割合は、日本のなんと8・2倍も大きいという。

交通マナーの悪さは、中国も同様だといわれる。交通事故死者数は10万人当たり6・2人で、日本よりやや多い程度だが、本格的に車社会が到来すれば、さらに事

故発生率が増えるはず。

事故ならケンカも辞さない中国人

また、日本のドライバーは中国人にはおとなしそうに見えるようだ。

ある中国人が日本で車を運転中に事故を起こしたところ、日本人ドライバーがあっさり謝ったので驚いたという。

とかく事故などのトラブルは警察に任せる日本人とはちがい、中国は、事故になればその場でケンカになることもある。

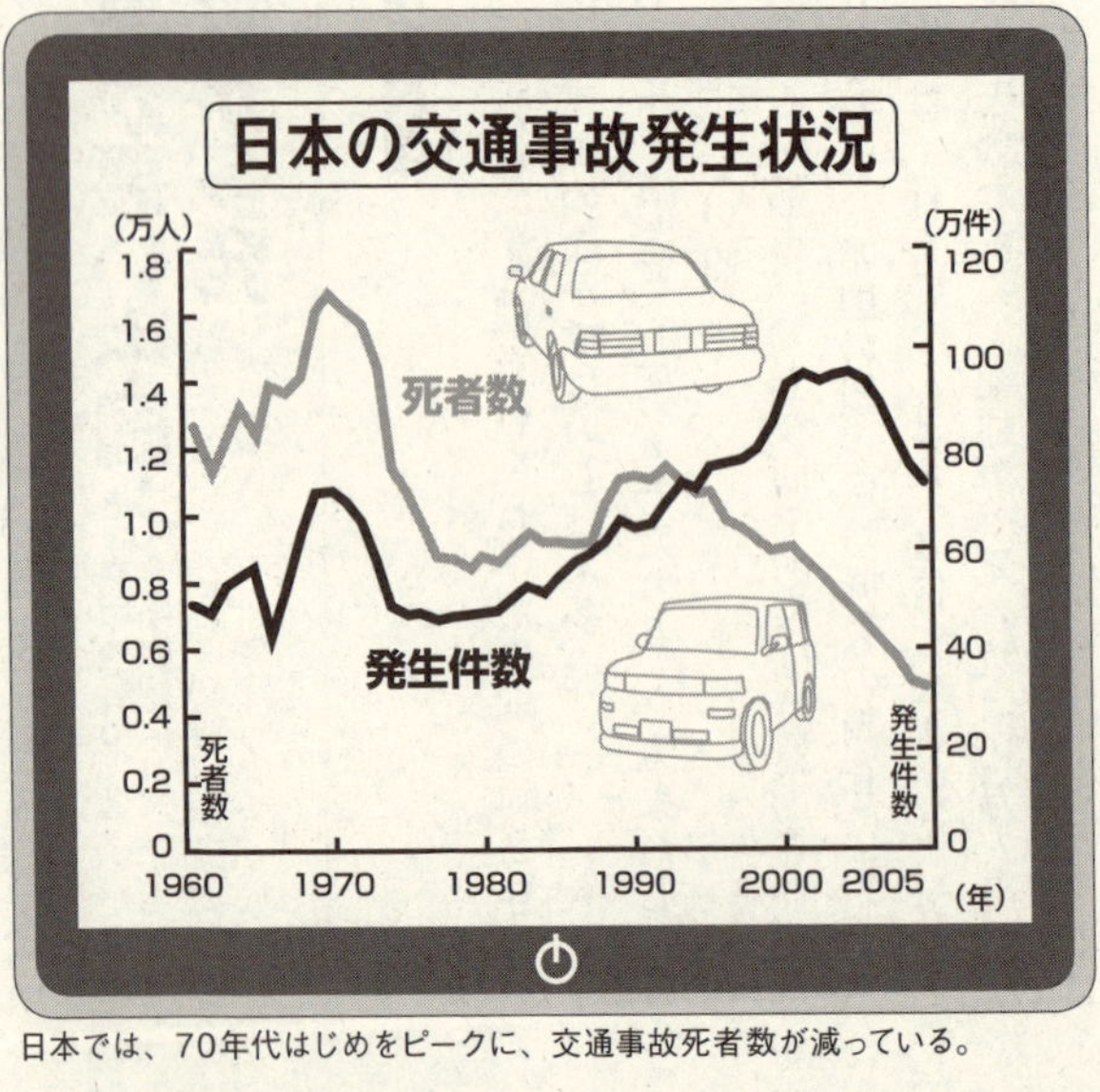

日本では、70年代はじめをピークに、交通事故死者数が減っている。

自転車事故は日本の名物？

ところで、日本の交通事故では、自転車の事故が14％をしめ、国際的に見ると比率がやや高めなのが特徴だ。実際、狭い道路で自転車が歩道に入ったり車道に出たりをくり返すのは危なっかしい。

この点、韓国では自転車の事故は4％で、日本の3分の1以下だ。もともとデコボコ道の多い韓国は、自転車があまり普及していなかった。ただし、最近の韓国では自転車専用道路の整備が進んでおり、サイクル人口が急増している。今後は、自転車事故も増える可能性が高い。

自転車といえば、中国ではテレビ番組のイメージ映像などで、膨大な数の自転車に乗っている風景がおなじみだった。ところが、都市部では、北京でも上海でも車道と別に自転車専用路が発達しているため、都市部での自転車の通行は、かなりスムーズだという。

交通事故発生件数(2007年)

日本	中国	韓国
83万2,454件	32万7,209件	21万1,662件

出典：IRF, World Road Statistics 2009

運 運輸・交通

運輸・交通

03 自動車

バスが主流だった中国の自動車市場。今は日韓の自動車会社がしのぎを削る

4200万台を超えても普及率3%

日本の自動車保有台数は7600万台以上で、人口当たり台数比は約60%だ。これが韓国では約34%となる。

急速に自動車市場が成長している中国では、人口当たり台数は、たったの3%だ。とはいえ台数は4200万を超えている。市場にはまだかなりの伸びしろがある。

じつは、車種別に見た場合、バスは日本は約23万台だが、中国では約234万台。じつに10倍の開きがあるのだ。これは、中国では乗用車はぜいたく品で、そのぶんバスが普及していたためだ。しかし、2002年に中国が輸入車の関税を大幅に引き下げたことなどから、急激に乗用車の販売数が伸びはじめた。

中国の自動車市場では、日本のトヨタや韓国のヒョンデも上位に食い込んでいる

が、とくにアメリカのＧＭ（ゼネラルモーターズ）にとっては、不振が続く本国をしのぐ最大のマーケットだ。

さらに、こうした海外メーカーと肩をならべて、近年では、上海汽車、吉利汽車といった、純中国産メーカーも売上げを伸ばしている。

日、中は右ハンドル、韓国は左

ちなみに、中国の自動車は日本と同じく右ハンドルだが、韓国ではアメリカやヨーロッパと同じく左ハンドルとなっている。

もともと韓国は、日本に併合されていた時代には、右ハンドルだった。しかし、戦後に韓国が独立して以降、進駐してきたアメリカ軍が多くの左ハンドル車を持ち込み、それがそのまま定着したためだという。

じつは、ヒョンデの「ソナタ」をはじめ、日本国内で売られる右ハンドルの韓国車は、特別仕様なのである。

自動車保有台数(2007年)

日本	中国	韓国
7,602万台	4,250万台	1,639万台

出典:IRF,World Road Statistics 2009

運輸・交通

04 空港

東アジア上空は過密状態。いそがしく飛び回るのは韓国の貨物便！

パンク寸前な韓国の空港

空を見上げれば、そこかしこに飛行機が……。

今、アジアの空は急速に過密状態になりつつある。日本は全国に92の空港があり、広い中国はその約2倍の186、韓国では30だ。

日本の約3分の1しか空港がない韓国だが、航空貨物の量は日本を1割ほど上回っている。「トン×距離」が、90億4000万トンキロの韓国は、さすがに中国よりは量が少ないが、貨物ラッシュで空港がパンク寸前だ。

その理由は、ズバリ家電。急速に半導体や液晶などの電子部品の輸出が伸びているためだ。おかげで、あるビジネスマンが海外に商品サンプルを輸送しようとしたら貨物の便が取れず、やむなくみずから手荷物として運んだという話もある。

かたや日本では、競争の激化や燃料費の値上がりで空の輸送量はやや伸び悩んでいる。2009年には日本航空（JAL）の経営破綻が世間を騒がせた。

中国では開業4年で倒産の航空会社も

中国でも航空輸送は急激に伸びているが、同時に競争も激化している。日本航空が破綻した09年には、中国でも、設立からわずか4年の東星《ドンシン》航空が10億元（約7200万円）の負債を抱え、中国ではじめての航空会社の破産となってしまった。一部では、人員や機内サービスをギリギリまで切りつめて値下げをはかる航空会社もある。

さらに、国内輸送では、強力なライバルも次々と登場している。武漢〜広州間などの高速鉄道だ。日本では船や鉄道のあとから安くて速い空の便が発達したが、中国ではあらゆる交通機関が、同時に競い合いながら進化している最中なのである。

出典:財団法人　日本航空機開発協会

05 海外旅行

中国人が行ってみたいのは、欧米より東南アジア。でも一番はアフリカ!?

中国では観光旅行より冒険事業?

「あこがれの海外旅行、行くならどこ?」――日本では、1位は韓国、2位はハワイ、3位はアメリカだ。これにフランスやイタリアなどヨーロッパ諸国が続く。同じ質問を韓国ですると、1位は中国、2位は日本、3位はアメリカと香港となる。フラッと気軽に行けるためか、近場が人気である。

さて、中国では、1位はワールドカップを機にアフリカ諸国となり、2位はベトナム、3位はインドネシアだ。そのほか、欧米よりも東南アジアや中東の国ぐにの人気が高い。

旅行ではないが、実際にスーダンや南アフリカ共和国など、アフリカ大陸にはすでに100万人もの中国人が渡っている。もちろん、事業でひと山当てるためだ。

危険なスラム街で中華料理店を開く者や、なかには密猟など非合法なビジネスに手を染める者もいるという。

どうやら今の中国には、かつて昭和の日本人が南米移民やアジアでの事業開拓にはげんだように、海外へ行くのは「冒険」というノリの人が多いようだ。

日本と密接な韓国、中華圏の旅行者

ちなみに、日本人、中国人、韓国人が、それぞれ実際に訪れる国は、おたがいかなり密接だ。日本を訪れる外国人観光客の1位は韓国人で、2位は台湾人、3位は中国人なのである。逆に、日本人が訪れる外国の1位はアメリカだが、2位は中国、3位は韓国となっている。

韓国の釜山から近い九州の別府では、経営の傾きかけた温泉ホテルが、韓国人と台湾人の客が増えたおかげで持ち直したという話もある。やっぱり日本は、アジアの観光客を、おろそかにできないのである。

行ってみたい国

出典:ダイヤモンド社「地球の歩き方」調査　Searchina　韓国観光公社

運輸・交通

06 郵便

国旗は赤いが、ポストは緑の中国。ネット普及でポスト減少の韓国郵便

検閲もあるが都市部では発達している中国郵便

意外なことに、日本の10倍の人口をほこる中国でも、郵便ポストの数は日本とたいして変わらない。そもそも、年間の郵便物の数は、日本が220億通にのぼるが、中国ではまだその3分の1の70億通ほどしかない。ちなみに、韓国では45億5000万通ほどである。

ただし、郵便局の数は日本が約2万4000局に対し、広い中国では2倍以上の約6万局だ。都市部に人口が密集した韓国では、約3700局にとどまる。

また、中国では赤い郵便ポストを探しても見つからない。ポストも郵便局も緑色なのだ。都市部の郵便局では、翌日配達や、国際スピード郵便（EMS）の24時間問い合わせサービスまで行なわれている。

ただ、国際便の小包は検閲がある。中国から日本に荷物を送るときは、郵便局員に中身を見せなければならない。

日本では2007年の郵政民営化の直後、年賀状の遅配が問題になった。さらに、2010年7月からは、宅配事業の「ゆうパック」と日本通運の「ペリカン便」の統合がスタートしたが、直後に遅配が続出するなど、いまだ混乱がたびたび起きている。

荷物は郵便局から集配に来る韓国

韓国の郵便事業では、小包の配達が非常に発達している。郵便局に行かなくても荷物の集配に来てくれるし、送るものの梱包《こんぽう》までやってくれる。

ちなみに、韓国の郵便ポストは日本と同じく赤いのでよく目立つが、最近は数が減りつつある。電子メールの定着で、紙の郵便物が減少しているためだ。日本以上にインターネットが普及した韓国らしい事情である。

郵便ポストの数

日本	中国	韓国
19万2,300個	19万5,300個	2万5,500個

出典:UPU(UNIVERSAL POSTAL UNION)発表

運輸・交通

07 宇宙開発

2024年には中国人が月面着陸？ 試行錯誤が続く韓国のロケット開発

すでに100以上の人工衛星を打ち上げた中国

２００９年秋、「事業仕分け」によって衛星を打ち上げる「GXロケット」開発計画の廃止が決まったが、翌10年6月に地球に帰還した小惑星探査機「はやぶさ」の大きな成果により、宇宙開発予算の再検討がはかられた。

現在、日本の打ち上げた人工衛星の数は、ロシア（旧ソ連）、アメリカについで世界ナンバー3だが、急速に宇宙開発を進める中国が第4位に迫っている。

中国では07年には月を周回する探査船「嫦娥《じょうが》一号」の打ち上げに成功し、24年までに有人月面着陸を実現することを目指している。

なお、日本は鹿児島県の種子島にロケット打ち上げ基地をもち、中国は甘粛省《かんしゅくしょう》の酒泉《しゅせん》、四川省《しせんしょう》の西昌《せいしょう》、山西省《さんせいしょう》の太原《たいげん》など、複数の打ち上げ基地をもつ。韓国も

2008年に慶尚南道《キョンサンナムド》に羅老《ナロ》宇宙センターを完成させた。

軍事も絡む、きな臭い宇宙開発

韓国はこれまで、人工衛星打ち上げにロシアやフランスの技術を借りているが、国策として純国産ロケットによる打ち上げを進めている。

その背景には、北朝鮮の軍事ロケット開発に対し、自国の力をアピールする意図も大きいようだ。

日本のロケットは、もともと民生用に独自に開発されたものだが、そもそも宇宙開発は軍事と非常に関係が深い。

中国でのロケットの開発は、旧ソ連から供与された大陸間弾道弾の技術が土台で、中国で最初のロケット打ち上げ基地も軍事施設である。07年には、弾道ミサイルで人工衛星を破壊する実験を行なった。大量の破片が発生し、国際世論の非難も浴びている。ロマンを求めて宇宙に旅立つというような考えは、中国にはさらさらないだろう。

出典:The Center for Space Standards & Innovation

主要参考文献

『世界の統計 2010』(総務省統計局)
『世界国勢図会 2009/10』(矢野恒太記念会)
『2010 データブック・オブ・ザ・ワールド』(二宮書店)
『現代用語の基礎知識 2010』(自由国民社)
『世界年鑑 2010』(共同通信社)
『ブリタニカ国際年鑑 2010』(ブリタニカ・ジャパン)
『情報メディア白書 2010』電通総研編(ダイヤモンド社)
『原子力年鑑 2010』日本原子力産業協会(日刊工業新聞社)
『データブック世界の放送 2010』NHK 放送文化研究所(NHK 出版)
『早わかり 韓国を知る事典』金容権(東海教育研究所)
『韓国がよ〜くわかる本』山田俊英(秀和システム)
『中国消費者の生活実態白書 2009-2010』(サーチナ総合研究所)
『中国年鑑 2010』(毎日新聞社)
『中国の「なぜ?」に答える本』上海文化協力機構(三笠書房)
『最新図解 中国情報地図』孔健(河出書房新社)
『中国新人類・八〇后が日本経済の救世主になる!』原田曜平 / 余蓮(洋泉社)
『民衆の北朝鮮』アンドレイ・ランコフ / 鳥居英晴 訳(花伝社)
『EU から見た北朝鮮』グリン・フォード / クォン・ソヨン(第一法規)
『北朝鮮は、いま』北朝鮮研究学会編 (岩波書店)
『北朝鮮の常識 100』朝鮮日報 / 宮塚利雄 訳(小学館)

本書は、書き下ろし作品です。

編著者紹介
造事務所（ぞうじむしょ）
企画・編集会社（1985年設立）。編著となる単行本は年間30数冊にのぼる。おもな編著書は『図解 世界がわかる「地図帳」』（知的生きかた文庫）、『徹底図解 中国がわかる本』（扶桑社文庫）、『図解「世界の紛争地図」の読み方』（PHP文庫）など。

ＰＨＰ文庫　こんなに違うよ！ 日本人・韓国人・中国人

2010年10月18日　第1版第1刷

編著者	造事務所
発行者	安藤卓
発行所	株式会社ＰＨＰ研究所

東京本部　〒102-8331 千代田区一番町21
文庫出版部　☎03-3239-6259（編集）
普及一部　☎03-3239-6233（販売）
京都本部　〒601-8411 京都市南区西九条北ノ内町11

PHP INTERFACE　http://www.php.co.jp/

印刷所
製本所　凸版印刷株式会社

ISBN978-4-569-67532-9

新ネタ満載 雑学新聞

読売新聞大阪本社 著

ガタフィ大佐は、なぜ大佐？ 消しゴムは何年使える？――国際面・経済面から社会面まで、素朴な疑問にすべて答える雑学本の決定版！

定価六八〇円
（本体六四八円）
税五％